KU-396-512

Dr. WULF D. Rehder

Der Deutsche Professor

Handbuch für Studierende, Lehrer, Professoren
… und solche, die es werden wollen

Dr. Wulf D. Rehder

Der Deutsche Professor

Handbuch für Studierende, Lehrer, Professoren
… und solche, die es werden wollen

2., ergänzte Auflage

EDITION WÖTZEL FRANKFURT AM MAIN 1998

Die Deutsche Bibliothek – CIP-Einheitsaufnahme
Rehder, Wulf D.:
Der Deutsche Professor: Handbuch für Studierende, Lehrer, Professoren … und solche, die es werden wollen / von Wulf D. Rehder. – 2., ergänzte Aufl. – Frankfurt am Main; Edition Wötzel 1998 ISBN 3-925831-44-4

1. Auflage 1985

EDITION WÖTZEL FRANKFURT AM MAIN 1998

Inhaltsverzeichnis

Neues Vorwort
oder
Bekenntnisse eines ehemaligen deutschen Professors

Indem ich die Feder ergreife, um in der völligen Muße und Zurückgezogenheit, die nur ein kulturneutrales Silicon-Valley bietet, meine Geständnisse niederzuschreiben, beschleicht mich das flüchtige Bedenken, ob meine Freunde in Deutschland dieses mein geistiges Unternehmen nach Temperament und Schule denn auch zu lesen gewillt sind, ja die Einbildungskraft aufbringen, mich zu verstehen und, im Idealfall, mir meine Apostase zu verzeihen. Denn ich bin kein deutscher Professor mehr.

Den Doktorhut abzulegen und auf Titel und Talar zu verzichten, ist nicht eine Tat, die sich auf das einfache Bedürfnis, die *vita contemplativa* nun gegen die *vita activa* einzutauschen, zurückführen ließe. Nein; wie es sich für einen deutschen Akademiker gehört, habe ich für meine Entscheidung tiefschürfende Beweggründe. Einer dieser Gründe ist der, dem viele deutsche Geheimräte und Professoren seit Goethe und Kissinger gerne gefolgt sind: Geld. Der zweite Grund (insgesamt will ich hier vier Gründe anführen und näher diskutieren) wird vor allem in geschäftlichen Kreisen von Industrie und Wirtschaft gerne mit „Geld“ kopuliert: Zeit ist Geld. Zeit also. Mit dem Eintreten in´s reifere Alter wurde mir nämlich bewußt, daß ich zur Erreichung meiner persönlichen Ziele mehr Zeit benötigen würde, als mir nach den Vorlesungen an der Universität und dem stundenlangen Ringen mit dem schnöden Axiom „Publizier oder krepier“ noch zur Verfügung stand. Den dritten Grund gebe ich nur mit Zögern preis, und nur weil mich mein deutscher Verleger wiederholt gedrängt hat, im Interesse einer größeren Auflage ja nur die volle Wahrheit zu sagen. Nun gut denn: drittens also entschied ich mich eines schönen Tages, aus Deutschland in die USA auszuwandern und mich für immer in Kalifornien niederzulassen. Das Quartett der Gründe wird letztendlich vollendet durch die Erwähnung eines Gefühls, das eher ein Beweggrund, ein Motiv, ist denn ein kühler, logischer und zureichender Handlungsgrund: der vierte Grund ist pure Abenteuerlust.

In der systematischen Redeweise des großen Immanuel Kant bestimmen somit die folgenden klassischen vier Beweggründe mein Handeln: Geld, sicherlich ein objektiver Bestimmungsgrund, der nach Kant nur „von reinen Vernunftbegriffen abhängt“, Zeit, ein transzendentaler Grund der „notwendigen Gesetzmäßigkeit aller Erscheinungen“, vor allem des empirischen Gesetzes von der Endlichkeit unseres Erdendaseins; die Emigration, eine Handlungseinheit, die dem notwendigen und zureichenden praktischen Bedürfnis Rechnung trägt, während meines Erdendaseins im selben Land, Kreis und Haus wohnen zu wollen wie meine Frau und Kinder; und schließlich Abenteuerlust, ein ästhetischer und subjektiver Bewegungsgrund (kurz auch Triebfeder genannt), in dem die Urquelle meines Wollens in gewissen sinnlichen Gefühlen angetroffen wird, die nicht immer leicht zu analysieren sind.

Bezüglich des Geldes, um den ersten der Bestimmungsgründe für meinen Sinneswandel in größerer Tiefe hier wieder aufzunehmen, herrschen in den USA und Deutschland unterschiedliche, und ich möchte sagen: komplementäre, Ansichten. Zunächst die Sprache. Auf Deutsch sprechen wir davon, „Geld zu verdienen“. Im Amerikanischen heißt es „to make money“, sich Geld zu besorgen. Vom Verdienen ist dabei nicht die Rede. Kant, den ich hier zum letzten Mal zitiere, macht in seiner Rechtslehre den Unterschied auf noch andere

Weise klar. Für den Deutschen gilt im wesentlichen die „Realerklärung" des Geldes, die da besagt, daß Geld das allgemeine Mittel sei, „den Fleiß der Menschen gegeneinander zu verkehren", will sagen: die Arbeit der Menschen zu bewerten und belohnen. Dagegen ist für den Amerikaner die Nominalerklärung gültig, nach der Geld eine Sache sei, „deren Gebrauch nur dadurch möglich ist, daß man sie veräußert". Deutscher Wertschätzung vom Verdienst und Fleiß steht demnach ein amerikanischer Pragmatismus gegenüber, der darauf zielt, Geld anzuschaffen und zum Erwerb einer nutzbaren Ware schnell wieder auszugeben. Da jeder ernsthafte Gedanke an Geld mir im allgemeinen peinlich und manchmal geradezu widerwärtig ist, sagt mir die demokratische, abstrakte, nachlässige Nominaldefinition vom Geld als Tauschmittel - auch in der extremen Form der Kreditkarte - mehr zu als die reale Definition von Geld als Viehersatz (*pecunia*, abgeleitet von *pecus*, lat: Vieh), und mehr auch als die moralisch-etymologische Deutung eines Thomas von Aquin, der in seiner Schrift *De regimine principum ad regen Cypri* behauptet: „Moneta heißt das Geld, weil es uns ´moniert´, daß kein Betrug unter Menschen vorkomme, da es das geschuldete Wertmaß ist". Soviel also zum Geld.

Was Zeit denn in ihrem Wesen sei, lernt der deutsche Gebildete vorzugsweise anhand der Beispiele Kant (für Philosophen), Einstein (für Physiker), und Thomas Mann (für Humanisten). Bei Kant ist Zeit, wie wir oben gesehen haben, eine notwendige, objektive Bedingung, Erscheinungen überhaupt beobachten zu können; der Newtonsche Apfel fällt „in der Zeit". Weit gefehlt, sagt Albert Einstein. Zeit ist dem Raumkörper angewachsen wie ein zusätzlicher siamesischer Arm, ihr Maß ist abhängig von der Art der Bewegung des Beobachters: Der Wurm im fallenden Newtonschen Apfel mißt die Zeit anders als die Schlange, die im Apfelbaum ruht. Hans

Castorp nun empfindet wie seine persönliche Zeit, will sagen: sein unebener Zeitsinn, mit der chronologisch-linearen und der historisch zirkularen auf Ewigkeit in einem unendlichen Zopfe verflochten ist.

Keine dieser drei Zeitvorstellungen war geeignet, meinen Zeitdurst zu beschreiben. Besser geeignet schien mir Borges´ Coda in seinem Essay „Eine neue Widerlegung der Zeit", wo er sagt: „Zeit ist die Substanz, aus der ich bestehe. Zeit ist der Fluß, der mich fortträgt, aber ich selbst bin der Fluß; sie ist der Tiger, der mich verschlingt, aber ich selbst bin der Tiger; sie ist das Feuer, das mich verzehrt, aber ich selbst bin das Feuer". Nahe verwandt ist Nabokows zukunftlose Zeit in seinem Roman *Ada*, wo sie das körperlose Bewußtsein beschreibt, das der Geist von den Leiden und Freuden des Körpers hat - die Freuden, die Walt Whitman in seinem Poem *Leaves of Grass* besingt, die Leiden, wie sie Herman Melville und Edgar Allan Poe erfahren haben. Dies sollte meine Zeit werden, eine vollmundige, gegenwärtige und daher nie endende Zeit.

Freiwillige Emigration und Abenteuerlust sind verwandt. Du kannst nicht auswandern, wenn Dich nicht Neugier und das Verlangen nach dem Unbekannten antreiben. Der erste Kulturschock, der einen deutschen Professor in den USA erwartet, kommt von dem völlig verschiedenen Sozialprestige. In Amerika ist der Professor kaum zu unterscheiden von dem *idiot savant*, jemandem also, dem ein normaler Bürger mit argwöhnischer Ehrfurcht begegnet, dem aber kein Bankbeamter einen Kredit bewilligt. Erfolg kommt erst, wenn Du das akademische Gegenstück von dem geworden bist, was Robert Musil den „Groß-Schriftsteller" nennt: wenn der Gelehrte ein hochbezahlter Manager seiner eigenen Forschungsaufträge, seiner Berater-Verträge und seines Image geworden ist. Ein wohlhabender, wohlbeleibter Clown zu werden, der Forschung für´s Pentagon betreibt, war mein Ehrgeiz nicht. Meine Wißbegier und mein Spieltrieb galten der englischen Sprache mit ihrem gewaltigen Wortschatz aus einsilbigen Substantiven, zweisilbigen Adjektiven, und Verben, die durch Präpositionen zusätzliche Bedeutung und Farbe gewinnen. Ich gestehe: Shakespeare und John Donne haben für mich mehr Witz und Leidenschaft als Goethe und Schiller. Romane von Ralph Ellison, Richard Powers, Paul West, Robert Stone, Thomas Pynchon finden unmittelbar Resonanz in meinem altmodischen Herzen. Melville und Joyce gehören zu den wenigen Auserwählten, die mit Adverbien umgehen können. Und amerikanische Literatur-Gazetten, wenn man sie erst einmal entdeckt hat, öffnen mehr neue Welten, als selbst Kolumbus erhoffte. Die amerikanisch-unkomplizierte Offenheit der akademischen und literarischen Szene würde mir erlauben, so hoffte ich, aus dem raupenartigen Professorendasein aufzusteigen in die Schmetterlingsexistenz des journalistischen Privatgelehrten mit Latein- und Griechischkenntnissen.

Nachdem ich so in meinem Gemüte alle Gründe, den Stand eines Mathematikprofessors zu verlassen, zusammengefaßt hatte, blieb immer noch die Entscheidung zu fällen, welchen neuen Berufsweg ich denn nun einzuschlagen gedächte. Aus den Gründen wuchsen Vergleiche und Kriterien, und aus ihnen resultierte endlich eine Reihe von Prioritäten: mein Salär sollte in keiner Weise ein Wertmesser meiner Arbeit sein, sondern ein (weitgehend unsichtbares) Mittel zum Zwecke des Lebensmitteleinkaufes. Zweitens, der neue Beruf sollte mir jene vollmundige Zeit belassen, in der ich dann Poe´sche Intensität und Whitmann´sche Vitalität erfahren könnte. Drittens, Kalifornien versus Schleswig-Holstein: der blaue Himmel über Silicon Valley, die vielen verschiedenen Gesichtsfarben und Sprachen, die öffentlichen Büchereien und großzügigen Universitätsbibliotheken, frisches Obst und exotisches Gemüse, anderseits aber auch die hektische Atmosphäre einer künstlichen Computer-Landschaft mit achtspurigen Autobahnen und gelegentlichen Erdbeben - dies alles mußte die liebgewonnene Ansicht von Elbdeichen und regnerischer Marsch aufwiegen und die behäbige Stimmung strohgedeckter Bauernhöfe vergessen machen. Und schließlich, viertens: der deutsche Geist in meinem Kopf, jenes unbegreifliche Vermögen, das sich einerseits selbst denken und andererseits das schnell vorübergehende Spiel der Wirklichkeit auf den Begriff bringen kann, jene flüchtige Substanz also, verlangte immer weniger danach, vertikale Löcher (Theoreme genannt) in den Laib der Mathematik zu bohren und diese dann mit Beweisen wieder aufzufüllen. Nein; die genannte Abenteuerlust ist eine horizontale, breitgefächerte Begierde, die auf die Intensivierung, Vervielfältigung und Verinnerlichung neuer Erfahrungen gerichtet ist.

Wie Wallace Stevens und T. S. Eliot, teile ich seitdem meine Welt fein säuberlich in zwei Hälften. In der einen trage ich einen Anzug mit dezenter Krawatte, kommuniziere in der verarmt-armseligen Sprache des Big-Business und sitze meine Zeit in Strategie-Meetings ab, was mir aber immerhin meine Miete bezahlt. In der anderen spiele ich den Amateur-Literaten, schreibe Buchbesprechungen, Essays, kulturkritische Kommentare, die mit dem Vokabular der sechziger Jahre gewürzt sind. Im Unterschied jedoch zu Wallace und Eliot, führe ich das Leben eines Hochstaplers. Ich meine das so: Wenn ich meine Arbeit als Manager tu, weiß ich tief im meinem Innersten, daß ich recht eigentlich Schriftsteller bin, Privatgelehrter in Sachen Melville, Poe und Nabokov, ein Künstler also, der mit Poeten parliert und mit bekannten Herausgebern und Verlagsherren korrespondiert. Und andererseits, während ich dicke Bücher lese und gegen ein Almosen ein Essay schreibe, der mich sechs Wochenenden kostet, sage ich mir insgeheim: Es ist doch gut, daß ich das Geld nicht nötig habe, denn ich bin ja recht eigentlich ein tüchtiger Manager mit gutem Gehalt.

Meine deutschen Freunde haben inzwischen den Nabokovschen Werdegang vom unordentlichen Assistenten zum ordentlichen Professor durchlaufen - Nabokov sagt wörtlich; „...from lean lecturer to full professor". Aus Wirbelwinden sind Zephire geworden. Und wie diese mir mit verlegenem Lächeln mitteilen, haben etliche Fakultätskollegen die „ungeschriebenen Doktorarbeiten" (siehe Kapitel I, Abschnitt 6) längst an ehrgeizige Studenten vergeben, die in der Mehrzahl von der Studienstiftung des Deutschen Volkes gefördert werden. Der Geist deutscher Gelehrsamkeit ist also lebendig wie eh und je. Und so hoffe ich, verehrte Leserin, geneigter Leser, daß Sie dieses Buch nicht ernster nehmen als den bekannten Ausruf jenes törichten Kindes in Hans Christian Andersens Märchen von des Kaisers neuen Kleidern.

Mountain View, Kalifornien
Am Weihnachtstag des Jahres 1996

W.D.R.
e-mail: wulf_rehder@hp.com

PROÖMIUM oder EINLEITUNG IN DEN GEGENSTAND

Ich habe mir den deutschen Professor und die Einrichtungen der heutigen Universität zum Gegenstand eines Studiums gemacht. Wenn mein Bild aber auch im allgemeinen nicht günstiger ausgefallen ist, so bitte ich besonders die zahlreichen Professoren um Entschuldigung, welche ich während dieser Zeit lieben und als Menschen, wie Gelehrte, hochschätzen, ja verehren gelernt habe. . . . In jedem Fall bin ich bestrebt gewesen, ohne die geringste persönliche Polemik nur streng historisch und objektiv vorzugehen, und man wird diesem Bestreben seine Anerkennung nicht versagen können.

Prof. Dr. Johannes Flach,
Der deutsche Professor der Gegenwart,
Leipzig 1886

Grundsätzlich ist der deutsche Professor ein Individuum *ineffabile*, unteilbar wie die akademische Freiheit und unaussprechlich wie die deutsche Seele. Andererseits zerfällt der Professor als Spezies in vier Arten, die bequemerweise mit C-1, C-2, C-3 und C-4 (sprich Zephir) bezeichnet werden. In die unterste Gruppe C-1 fallen die Assistenzprofessoren oder Hochschul-assistenten; aus ihren Reihen rekrutiert sich der akademische Nachwuchs. Sie sind die jungen Fähnriche der Wissenschaft, noch nicht Beamte auf Lebenszeit, aber flott und ehrgeizig und auf dem besten Weg dorthin. Lebenslänglich dienen dagegen schon die Vertreter der beiden Mittelgruppen C-2 und C-3, früher Dozenten und außerordentliche Professoren geheißen.

Der ureigentliche deutsche Professor ist aber der Ordinarius, Prof. Ord. oder o. Prof., der Zephir-Professor, der Gottähnliche. Er ist es denn auch vorzüglich, auf den seine geringeren Mitbürger das respektvolle Attribut „zerstreut" anwenden wie das „hochkarätig" auf eine Gemme. Seine sprichwörtliche Zerstreutheit ist seit Jahrhunderten als das Markenzeichen „made in Germany" in viele Länder exportiert und dann bisweilen als Tiefe und Genialität, als genuin Faustisches, oder doch zumindest als etwas liebenswürdig Altmodisches interpretiert worden.

Theodor Mommsen, selbst Professor, deutete die persönlich-verspielte Zerstreutheit weniger harmlos als Weltfremdheit, aus der sich so manche Unterlassungssünde des Zoon politicum professorale erklären lasse. Sitzen doch schon bei Homer (Ilias, 3. Gesang, Verse 149 ff.) die vornehmen Professoren der Universität Troja fern vom Schlachtgetümmel lieber auf dem skaiischen Tore, tüchtig im Reden und stimmgewandt wie die Zikaden, aber zu schwach, mit den gutgeschienten Achäern eine Lanze zu brechen.

Hin und wieder sind sie wohl auch auf die Barrikaden gegangen, die deutschen Professoren seit Luther, meist vereinzelt wie die Göttinger Sieben um die Brüder Grimm 1837 und im Appell der achtzehn Wissenschaftler vom April 1957. Oft jedoch folgten den Reden, Lehren und Appellen die Taten nicht nach. Auch einige Rektoratsreden und eilige Bekenntnisse von vor mehr als fünfzig Jahren stecken dem Professor noch immer wie ein schuldiges Sodbrennen hinter dem synthetisch-feschen Rollkragen.

Dabei kommt das Wort „Professor" bekanntlich von dem lateinischen Verbum *profiteri*, teilt mit dem anderen lateinischen Wort „Profit" überraschenderweise jedoch nur die gemeinsame Vorsilbe. Profiteri ist ein sogenanntes Deponens, ein Verb mit aktiver Bedeutung, aber passiver Konjugationsendung, und heißt verdeutscht *öffentlich und frei seine Lehrmeinung verkünden.* Nun sind Worte und Verben nichts als Schall und Rauch, und sie schließen nicht aus, daß ein Professor bisweilen die gelehrte Aktivität ganz hinter die passive

Form zurücktreten läßt, auch womöglich des Profits wegen. Zum Beispiel ist die Tatsache bezeichnend, daß im Schmidschen „Wörterbuch zum leichtern Gebrauch der Kanti-schen Schriften“ der Eintrag „Geld“ eindeutig vor dem Eintrag „Gelehrigkeit“ erscheint.

Doch wollen wir nicht voreilig und einseitig urteilen. In Wirklichkeit ist nämlich die Professorenzunft flexibel und weitgespannt zwischen Geld und geistigem Gut, zwischen Avantgarde und flauer Passivität - mit allen möglichen Mischformen.

Von diesem Formenreichtum soll dieses Buch berichten. Allein, umsonst wird der geneigte Leser eine pünktliche Aufgliederung in Statistiken und Tabellen suchen. Dies wäre zwar eine artige Leistung gewesen und aller Mühe sicherlich wert. Helge Pross, Helmuth Plessner, das Infratest-Institut, „DER SPIEGEL“ , haben sich hier verdient gemacht. Uns steht der Sinn nach Höherem, danach nämlich, die einzigartige Einheit des Phänomens „deutscher Professor“ herauszustellen, nicht aber, ihn zu zergliedern wie einen schönen Schmetterling.

Dem kapriziösen Gegenstand dieser Studie entsprechend, wechselt der Blickpunkt mehrmals zwischen dem Sublimen und dem Lächerlichen, mit etlichen Aufenthalten an lohnenden oder einfachen amönen Zwischenstationen, dort, „wo Geist und Torheit recht sich gattet“. Methodisch ist es deshalb unvermeidlich, hier einen neuen Stil von Wissenschaftlichkeit aufzuführen, der einen wohlwollenden Leser vielleicht an Flauberts unvollendete Komposition (oder ist es Kompilation?) aus Banalität und „bêtise“ („La bêtise consiste à vouloir conclure“), an „Bouvard et Pécuchet“ also, denken läßt, während ein Kenner des Absurden Spuren des Jarryschen Dr. Faustroll zu sehen glaubt. Sie haben beide recht. Die Hypothese übrigens, daß in jedem gelehrten Dr. Faustus ein Stückchen vom Faustroll lebt, ist genau so gut bestätigt wie die Vermutung, daß jeder Assistenzprofessor ein (heimlicher)

Don Juan ist, dessen Lust an der Logik in der Logik seiner Lust begründet liegt.

Im Verlauf der Geschichte saßen der Hofrat und der Hofnarr oft genug am selben Fürstentisch, ja, im Fall des wittenbergischen Professors Taubmann trafen sich der wissenschaftliche und der kurzweilige Rat sogar in einer Person.

Dieses Handbüchlein soll in ähnlichem Sinne die Überzeugung stützen, daß Sinn und Unsinn nicht nur sehr nahe beieinanderliegen und miteinander interferieren, sondern daß sie einen nichtleeren Durchschnitt haben. In dieses gemeinsame Terrain haben sich immer wieder einige der besten Vertreter aus Wissenschaft, Philosophie, Sport, Theologie u. a. m. begeben, um Atem zu schöpfen, befreit von Kalkül und Methode sich dem freien anarchistischen Spintisieren überlassend, bevor am nächsten Arbeitsmorgen der Wecker klingelt und der Garten aufs neue sorgfältig bestellt werden muß.

Im Ton, der ja auch im Buch die Musike macht, verraten sich von selbst die Einflüsse der Herren Mencken, Thomasius, Rabener, Heine, Tucholsky, ohne sie allerdings zu erreichen - und des alten Simplicissimus. Aber auch trotz der vielzitierten Stimme eines Lichtenberg ist dies nicht ein aufklärerisches Buch, geschweige denn ein besserwisserisches. Ebensowenig gebe ich hier eine leichtgewichtige Antwort auf die schwierige Frage „Was darf die Satire?“, deren Antwort „Alles!“ ohnehin nur dann schlagend ist, wenn die Satire bedroht ist. Heute ist sie aber nicht nur nicht bedroht, sie ist nicht einmal gefragt, und es ist gar nicht einfach, dem Leser einen Scherz so ins Gemüt einzupflanzen, daß er meint, dort sei nun ein Problem verborgen.

Es ist darum auch erstaunlich, von dem ungewöhnlich starken Leser- und Rezensentenecho auf Peter Sloterdijks „Kritik der zynischen Vernunft“ (Frankfurt 1983) zu hören, einer Reaktion, die nahelegt, daß in Zynismus und Satire vielleicht doch ein Problem verborgen ist - welches bei Sloterdijk seinen Ursprung allerdings nicht im Scherz, sondern vielmehr in seinem Gegenteil, der ernstgenommenen Aufklärung, hat. Der deutsche Professor ist ja auch ein Vertreter des „aufgeklärten falschen Bewußtseins“, von dem Sloterdijk schreibt: „Es ist das modernisierte unglückliche Bewußtsein, an dem die Aufklärung zugleich erfolgreich und vergeblich gearbeitet hat. Es hat seine Aufklärungslektion gelernt, aber nicht vollzogen und wohl nicht vollziehen können. Gutsituiert und miserabel zugleich fühlt sich dieses Bewußtsein von keiner Ideologiekritik mehr betroffen; seine Falschheit ist bereits reflexiv gefedert.“ (a. a. O., S. 37 f.)

Ich weiß nicht genau, was Peter hier meint und wie sich mein Bewußtsein auf dem Trampolin der vernünftigen Gedanken hinreichend abfedert; aber ich liebe solche rasante Sprache, die sich so prächtig wackelig assoziativ ausnimmt gegenüber spurtreu ausgewuchteten Akademikerzungen!

Wenn also nicht „beißende Satire“, scharf wie die Dogge des Simplicissimus, ist dies hier ein Exerzitium in feiner Ironie, ein „Kleintun“ des hochstehenden Professors oder gar eine philosophische „wirklich transzendentale Buffonerie“? Ich fürchte, nicht einmal ein Schlegelsches Ironiefragment können wir für uns beanspruchen, geschweige denn die Hegelsche Bestimmung der Ironie als „„unendliche absolute Negativität“ oder Kierkegaards „Ironie ist eine Existenzbestimmung“ . Schweren Herzens sei eingestanden, daß wir mit leichterer Hand ans Werk gegangen sind und daß wir sogar Martin Walsers mißbilligendes Stirnrunzeln über Thomas Manns Figuren-Ironie (s. beim Gymnasialprofessor) in Kauf nehmen.

„Schweren Herzens“, weil wir meinten, uns wie bei jedem anspruchsvollen deutschen Buch methodologisch legitimieren zu müssen; diese Reflexion ist uns nicht gelungen, mag nun der Gegenstand zu flatterhaft gewesen sein - oder ob es die theoretische Unlust war? Von Ausnahmen abgesehen, schien der deutsche Professor im wesentlichen witzlos, vielleicht weil seine Ideologie so fugenlos in seine Wirklichkeit paßt und sein Selbstbewußtsein infolgedessen „bereits reflexiv gefedert“ ist? Die Malaise liegt noch tiefer.

Zunächst und oberflächlich, weil die spitznasige Satire zusammen mit ihrer hochstirnigeren Schwester Ironie aus der Sprache in die Zeitung abgewandert sind, und wie sehr beide bei diesem Umzug gelitten haben, zeigen tägliche Glossen durch ihre nörglerische Schnodderigkeit, Kommentare durch billigen Hohn, ja ganze Nachrichtenmagazine in all ihrer täppischen Hämischkeit.

Der aufrechte Martin Walser hat noch etwas retten wollen für Sprache und Stil: siehe seine Frankfurter Vorlesungen „Selbstbewußtsein und Ironie“ (1981). Er mußte aber bis auf Kafka zurückgehen, um Grund zu fassen. Damit geht er weit über die traditionellen Mittel der Ironie hinaus, die doch lediglich den Zwiespalt von Anspruch und Wirklichkeit bloßstellen will ohne auslegende Worte der Erklärung, worin dieser Zwiespalt bestehe. Insofern ähnelt die Wirkungsweise der Ironie den Witzen ohne Worte. Zweitens und weniger oberflächlich glaube ich, daß Ironie und Satire heute einfach unmöglich sind. „Schwer, eine Satire zu schreiben“ , sagt Adorno im 134. Abschnitt seiner „Minima Moralia“. Wir möchten nicht widersprechen, sondern hinzufügen: „Schwer, keine Satire zu schreiben.“ Denn der Leser, sei es von „Schneewittchen“ oder des Börsenberichtes, kann gar nicht umhin, seine ironische Optik jedem Textverständnis vorzublenden. Naivität und Bewußtsein waren in Deutschland immer schon schwer zu trennen, wo mehr Käufer als irgendwo anders jüdische Witze lesen, wo in weniger Arbeitsstunden mehr Unzufriedenheit produziert wird als anderswo und wo die gesamte Spitze der APO Professoren werden wollte.

Das ist das Dilemma und daher die Unlust.

Angesichts dieser Misere hat sich der Autor unvermutet in

einer methodischen Klemme befunden, indem er nämlich nicht mehr die angelernten Tropen und rhetorischen Tricks beibringen zu dürfen glaubte, und aus dieser Not dann ein tugendhaftes Handbuch gemacht, das konsequenterweise poetologisch neutral ist.

Wenn daher einerseits auf jedwede Heranziehung von Scherz, Satire, Ironie verzichtet wurde, so wird dies doch durch die tiefere Bedeutung und Nützlichkeit, die auch diesem Handbuch eignet, mehr als wettgemacht.

Frühere Gelehrte schon haben sich den Professor zum Gegenstand ihrer Dissertationen gemacht. Professor Dr. Johannes Flach, der schon zitiert wurde, veröffentlichte bereits 1886 seine kritische Würdigung „Der deutsche Professor der Gegenwart“, ein zu Unrecht vergessener Klassiker. Bekannter geworden sind skurrile Prototypen wie Thomas Carlyles Professor Diogenes Teufelsdröckh, Heinrich Manns Professor Unrat und (wiewohl nicht deutsch) der liebenswerte Assistenzprofessor Timofey Pnin aus Vladimir Nabokovs gewandter Feder.

Um kurz jenseits deutscher Sprachgrenzen zu bleiben: Zweiundzwanzig Jahre nach besagtem Dr. Flach hat ein eminenter englischer Gelehrter, Francis M. Cornford, ein mehrfach wiedergedrucktes, kleines Buch geschrieben, das einige gutgewürzte Passagen zum Cambridger Hochschulleben enthält: „Microcosmographia Academica. Being a Guide for the Young Academic Politician“. Die den amerikanischen Akademikerhainen angepaßte Version „Up the Ivy. Being Microcosmographia Academica Revisited“ wurde von dem anonymen Autor Academicus Mentor bei Hawthorn Books, New York 1966, veröffentlicht, in dem aber leider das „Kleintun“ eher in ein witzloses Niedermachen und flaches Breittreten ausartet.

Wie ein stiller Nachmittag in der Rara-Abteilung einer großen Universität ergeben hat, haben beide, Cornford und

Academicus Mentor, ihren Titel von John Earle entliehen, einem Oxforder Scholaren, der seine Charakterstudien „Microcosmographie“ (z. B. über den „Out-Right Scholar“) nach des Theophrastens klassischem Vorbild modelliert hat - doch hiervon später mehr.

Professoren aus Fleisch und Blut standen ihren literarischen Kollegen um nichts nach. Der Professor der Professoren Hegel, der deutsche Plato Schelling, deutsche Professoren von Kant bis von Weizsäcker, sie alle vereinen in Kopf und Brust das Teutonische mit dem Sokratischen und halten sich rechtens, wie Fichte erkannt hat, für die feinste Spezies neben den Göttern, in der sich endlich die Bestimmung des Menschen an sich erfüllt hat.

Was Wunder, wenn Du, lieber Leser, vielleicht auch gerne Professor werden möchtest!

Um Dir ein klares und ehrliches Bild der Pflichten wie auch der Ehren, die einen deutschen Professor anfallen, zu vermitteln, sollen in diesem Buch nur beispielhafte Gelehrte, berühmte Magister und geprüfte Doktoren zu Wort kommen. Besonders dankbar bin ich für die unschätzbaren Beiträge, hier zum erstenmal der Öffentlichkeit vorgestellt, die mir großzügigerweise von der Witwe meines großen Lehrers, des Prof. Dr. habil. Dr. h. c. mult. Berthold Dietrich Bummelböhm, überlassen worden sind.

Auf ihn traf zu, was Shakespeare in „Henry VIII.“, iv, ii, 51, sagt:

> He was a scholar, and a ripe and good one;
> Exceeding wise, fair spoken, and persuading;
> Lofty and sour to them that loved him not;
> But, to those men that sought him sweet as summer.

Vorbereitungen zu diesem Buch begannen in den späten siebziger Jahren in Berlin, wo mir neben den Bibliotheken der beiden Universitäten auch die Vorbilder meiner Kollegen stets zur Verfügung standen. Immer wieder hat mich auch die Staatsbibliothek mit den Schätzen überrascht, die sie für mich aus ihrem vergoldeten Bauch ans Licht gebracht hat.

Nach der Übersiedlung 1981 in die Vereinigten Staaten dauerte es jedoch nochmals drei Jahre, bis dieses aus unzähligen Zetteln und Notizen bestehende Hauptgeschäft nächtlichen Nachdenkens endlich seinen Weg zwischen zwei Buchdeckel fand. Dazu waren noch einmal viele hundert Lesestunden in den Bibliotheken der Universitäten in Denver, Berkeley und Stanford nötig, deren schwergeprüften Abteilungen für Rara, alte Mikrofilme und Fernleihe ausdrücklich Lob gezollt und Dank gesagt sei.

Und doch wäre nichts gegangen ohne die unverständlich enthusiastische Unterstützung meines Verlegers, der wider besseres Wissen Kopf, Kosten und Kragen riskiert hat mit diesen nicht ganz so ernsten Scherzen.

Doch nun: lector intende laetaberis, wie Apuleius in seiner Einleitung zum „Goldenen Esel“ schreibt: Folge, lieber Leser, mit Aufmerksamkeit unserer Geschichte, und Du wirst deinen Spaß haben!

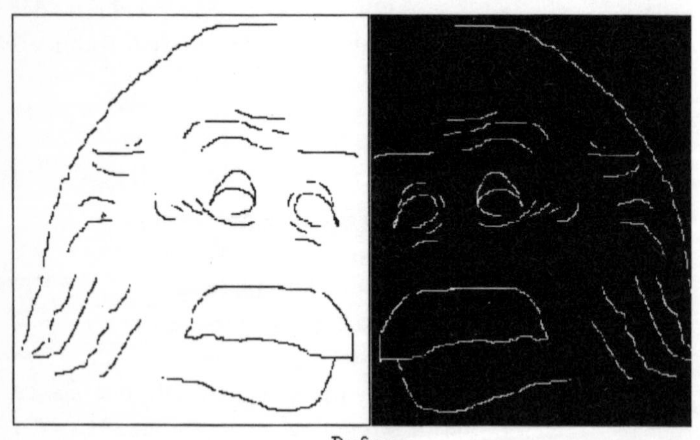

Professor
Albert Einstein

Kapitel I.

DER DEUTSCHE PROFESSOR BEI DER ARBEIT

Arbeit [mhd. arebeit „Mühe", „Not"), zielbewußte Kraftbetätigung, bes. die auf Schaffung von Werten gerichtete körperliche oder geistige Tätigkeit des Menschen.

dtv-Lexikon, A-Bam (1979), S.187

1. DIE REZENSION

Ich meinesteils würde ebenso gern einer Spielbank oder einem Bordell vorstehn als so einer anonymen Rezensionshöhle.

A. Schopenhauer; Paralipomena. Über Schriftstellerei und Stil. Sämtliche Werke, § 281, Bd. 5, Darmstadt 1976, S. 605

Wiewohl Professor Georg Christoph Lichtenberg im Sudelheft D [75] schriftlich behauptet: „Wenn er eine Rezension verfertigt, habe ich mir sagen lassen, soll er allemal die heftigsten Erektionen haben", so will ich dem aus eigener negativer Erfahrung und nach Einholen von Meinungen rezensierender Kollegen, die alle (bis auf einen klassischen Philologen) mit mir übereinstimmen, auf das allerentschiedenste widersprechen. Wahr und wichtig ist vielmehr nicht die erogene, sondern die rein eristische Komponente der Rezension, die streitbare Lust am Besserwissen. Jedes Buch, kaum hat es das Licht im Buchladen erblickt, wird zuerst einmal von der allgemeinen Kinderkrankheit aller Bücher, der Rezension, angefallen. Mit Recht haben sich Lichtenberg und vor allem auch Schopenhauer gegen die anonyme Rezension gewehrt, deren Vertreter Schurken und Schufte, Hundsfötte und Blindschleichen betitelt werden. „Tout honnête homme doit avouer les livres qu'il publie", wie Rousseau in der Vorrede zu seiner „Neuen Héloïse" schreibt.

Wenn Du dem oft verleumdeten Club der Rezensenten ernsthaft beitreten willst, wirst du einige Regeln zu deinem eigenen Vorteil beachten müssen. Wie im Leben allgemein, gilt es auch hier, den Unterschied zwischen dem Besserwissen und dem Bessermachen durch eine möglichst fehlerfreie Grammatik zu überbrücken. Um Emil Staiger zu rezensieren, mußt Du, ja darfst Du nicht Emil Staiger sein; ein gutaufgelegter Max Frisch ist da besser. Generell wird die genannte Überbrückung desto reibungsloser gelingen, je inkommensurabler Autor und Rezensent sind. Dies schafft Distanz, mithin Objektivität und klare Sätze.

Hast Du selber über den zu rezensierenden Gegenstand, wie wir gerne sagen, „gearbeitet" und bist dabei zu entgegengesetzten oder auch gar keinen Ergebnissen gekommen, so wirst Du geschickterweise deine ablehnende Argumentation durch Hinweis auf die sogenannte „vorhandene Literatur" beträchtlich abkürzen können. Geht es in einer Rezension doch nicht so sehr darum, recht zu haben oder zu bekommen, als recht zu behalten. Auch ist es sehr gefährlich, sagt Voltaire irgendwo, in Dingen recht zu haben, wo große Leute unrecht gehabt haben. Die Verfasser eben dieser vorhandenen Literatur werden dir übrigens darin beistimmen, daß die Wahrung des geistigen Besitzstandes allemal wichtiger ist als der schnöde Erwerb neuen Besitzes.

Der Besprechungsteil eines Journals ist nicht der Ort, sich wissenschaftlich zu verausgaben. Dagegen bietet die Rezension eine billige Gelegenheit zu feinem Lob und gerechtem Tadel. Lob vermag besonders wohlfeil auf den Rezensenten zurückzuwirken nach der horazischen Maxime „Accedas socius, laudes, lauderis ut absens" (Sat. II, 5/72) - „Werde Kumpan und lobe, damit man dich wieder lobt, wenn du fern bist". In der Tat, es ist ja möglich, daß jemand Dich rezensiert. Wenn er Deine Werke lobt und preist, gut; dann hat er sich an die Clubregeln gehalten. Doch bist Du nicht immer gegen kleinlichen Tadel gefeit. Es empfiehlt sich in diesem Fall, im Gegenzug etwa ein imaginäres Buch Deines Gegners in der führenden Zeitschrift Deines Faches zu besprechen, um das globale Gleichgewicht wiederherzustellen. Ausführliche Zitate des Kontrahenten sollst Du, nach Art der erfolgreichen „Epistolae obscurorum virorum" (Dunkelmännerbriefe von 1515), breit und in schlechtem Latein aufführen. Ist Dir dein Latein heilig oder ganz entfallen, wirst Du auf der nächsten Jahrestagung des Clubs mit einem oft und wohlwollend wiederholten „Der Professor Soundso soll ja auch mehr und mehr seine Kindertrompete für die Posaune der Fama ausgeben" die verständigen Lacher auf Deiner Seite haben.

So viel zu den allgemeinen Regeln. Ich schließe noch zwei Beispiele an. Das erste ist als sogenanntes „generisches Rezensionsversatzstückle" den Papieren Bummelböhms entnommen und kann bei Bedarf mit mehr Honig, Essig, Pfeffer oder Gift angemacht werden. Im zweiten Beispiel gibt uns Justinus Kerner Herrn Spindelmanns Rezension der Gegend.

1. Beispiel:

„Notwendig wäre es, in einer eigenen Untersuchung explizit zu machen, was die vorliegende Arbeit nahelegt. Das allerdings hieße, das gesamte Problem des Verhältnisses von (. . . einzufüllen . . .) einer Lösung zuzuführen. Auf dem Hintergrund der Entwicklung, die die Behandlung dieses Problems erfordert, und auf dem skizzierten Problemhintergrund der Arbeit selbst, scheint es nützlich, mehr als zuvor (. . . einzufüllen . . .) und dabei nicht nur zu berücksichtigen, sondern zu begreifen, daß, . . . (und so weiter)."

2. Beispiel:

Spindelmanns Rezension der Gegend
Näher muß ich jetzt betrachten
Diese Gegend durch das Glas,
Sie ist nicht ganz zu verachten,
Nur die Fern ist allzu blaß.

Jene Burg auf steiler Höhe
Nenn' ich abgeschmackt und dumm,
Meinem Auge thut sie wehe,
Wie der Fluß, der gänzlich krumm.

Jene Mühl' in wüsten Klüften
Gibt mir gar zu rohen Schall,
Aber ein gesundes Düften
Weht aus ihrem Eselstall.

Daß hier Schlüsselblumen stehen,
Hätt' ich das nur eh' gewußt!
Muß sie schnell zu pflücken gehen,
Denn sie dienen meiner Brust.

Kräuter, die zwar farbig blühen,
Doch zu Thee nicht dienlich sind,
Doch nicht brauchbar sind zu brühen,
Überlaß' ich gern dem Wind.

Das Nonplusultra einer Rezension an und für sich ist natürlich Stanislaw Lems Besprechung seiner Rezensionen (Rezensionen an sich) über nichtexistente Bücher. So widerstehe ich also der witzigen Versuchung, dieses Buch hier nach eigenen Anleitungen zu rezensieren.

Aber ich muß mich verwehren gegen die gespreizte Rezension von Momos in „DIE ZEIT“ („Krähwinkel in Stanford“) und die herablassende Schnodderigkeit im „SPIEGEL“ („Rehder, 36, verzichtet in typisch amerikanischer Rockwell-Manier auf kritische Reflexion. Verwehrt sich geziert gegen herablassende Schnodderigkeit im SPIEGEL“.).

Arno Holz, von seinen Kritikern wahrlich nicht verwöhnt, hat ausgesprochen, was viele von uns Schreiberlingen denken:

Bibelbiereifrig !

Hier Genie und dort Talent!
Jeder Mensch hat sein Pläsierchen
so ein armer Rezensent
ist das ärmste aller Tierchen.

Wenn es pfaucht und wenn es zischt,
laß es, laß es sich nur schinden,
denn dem Ochsen, der da drischt,
sollst du nicht das Maul verbinden.

Arno Holz, Werke, Bd. 5, Neuwied 1962 , S.125

Für den unbekannten Autor ist die kritische Rezension immer ein Balanceakt auf einem Seil, dessen eines Ende vom Gewicht der untersuchten Arbeit und dessen anderes von der Stärke der eigenen Einwände strammgehalten wird. Weder sollte er offensichtlichen Humbug rezensieren, noch auf einen kapitalen Gelehrtenhirschen mit verbalen Platzpatronen schießen. Welchen dieser beiden Fehler dieser Autor (WDR) in dem abschließenden, authentischen Beispiel gemacht hat, möchten wir dem sensiblen Kenner zur Beurteilung überlassen; ich selber neige definitiv zur Humbug-Variante.

Der Fall liegt wie folgt:

Ein Dr. P. hatte einen bombastisch aufgemachten Artikel im „Archive for History of Exact Sciences“, 27 (1982), S. 87-

99, publiziert, dessen Qualität in schriller Weise mit dem Renommee genannter Zeitschrift kontrastierte. Auf eine kurze, negative Besprechung im „Zentralblatt für Mathematik", Nr. 499.01003, hin revanchierte sich der Kollege P. mit einem Beschwerdebrief an den Herausgeber des „Zentralblatts" Professor W., mit den folgenden Worten (wörtlich zitiert, trotz der gelegentlich wackeligen Sprache):

Sehr geehrter Herr Professor W. !

Ich danke Ihnen für die Sendung des Referats von Herrn W. Rehder zu meiner Abhandlung „Die Mathematische Theaetetstelle" (Arch. Hist. Ex. Sci., 27, 87-99,1982).

Herr Rehder schreibt, daß der bekannte klassische Philologe der UdSSR, Herr Professor M. L. G., die Richtigkeit meiner Übersetzung der Theodoros-Stelle in Platons Dialog „Theaetet" nicht bestätigt, daß er sie „angeblich" bestätigt.

Diese Behauptung stützt er auf den Punkt 3) der Rezension von Professor M. L. G., die in meiner Abhandlung veröffentlicht ist.

Diese Rezension enthält fünf Punkte, die Herr Professor M. L. G. so zusammengefaßt hat (S. 98): „In view of the foregoing philological statements I regard Mr. P.'s interpretation of the texts as excellent".

Herr Rehder ließ die übrigen vier Punkte der Rezension unberücksichtigt, ebenso die Zusammenfassung von Herrn Professor M. L. G.

Dieses Referat sandte ich Herrn Professor M. L. G. Er antwortete, daß der Punkt 3) der Rezension nur ein zufälliges Versehen ist. Und er bestätigt nochmals, daß er meine Übersetzung der Theodoros-Stelle als excellent beurteilt.

Also ist die Beurteilung meiner Abhandlung von Herrn Rehder nicht richtig, nicht objektiv und ungerecht.

Er schreibt: „Die Übersetzung ins Deutsche ist an mehreren Stellen syntaktisch fehlerhaft oder sogar sinnlos."

Meine Übersetzung ins Deutsche hat eine Mitarbeiterin der Akademie der Wissenschaften der D. - Frau A. V. - nachgeprüft.

Sie hat keine Sinnlosigkeiten gefunden.

Keine Sinnlosigkeiten fand auch Herr Professor T., der sehr aufmerksam diese Abhandlung studiert hat.

Ich glaube, daß die Übersetzung ins Deutsche, nach der Nachprüfung von Frau A. V., auch keine syntaktischen Fehler enthält.

Alles dies zeigt, daß das Referat von Herrn Rehder kein richtiges, objektives und gerechtes ist.

Und überhaupt: Wie konnte Herr Rehder meine Abhandlung, die sich auf die griechischen originalen Texte stützt, richtig, objektiv und gerecht beurteilen, wenn er zweifellos die griechische Sprache nicht kennt?

Ich glaube, daß die Referate des Zentralblatts für Mathematik nur die richtigen, objektiven und gerechten sein sollen.

Von diesem Standpunkte aus fertige ich meine Referate.

Deshalb ist um so mehr notwendig, den richtigen, objektiven und gerechten Autorreferat zu dieser Abhandlung, die erstmals die richtige Übersetzung der Theodoros-Stelle gibt, auszudrucken.

Am Ende des Referats schreibt Herr Rehder: „Eine detaillierte Kritik des Referenten wird andernorts veröffentlicht werden."

Wenn diese Kritik von Herrn Rehder erscheinen wird, wollte ich sie rezensieren.

Und ich hoffe, daß meine Rezension richtig, objektiv und gerecht sein wird.

Mit freundlichen Grüßen...

Lehrreich sind an dieser Beschwerde besonders der ad hominem Stil der Argumentation („wenn er zweifellos die griechische Sprache nicht kennt") und die Begründung für Richtigkeit, Objektivität und Gerechtigkeit (Gerechtigkeit?) via die Autoritäten G. und Frau A. V.

Meine ungezogene und ungehaltene Antwort in diesem gar nicht ungewöhnlichen Scharmützel lautete wie folgt:

Lieber Herr Wegner,

Der Kollege P. spinnt.

Ich verzichte darauf, neue Experten gegen die P.schen Experten zu stellen; es könnten sich ja weitere „zufällige Versehen" einschleichen. Aber seit wann ist es üblich, in einem Journal die beipflichtende Rezension eines Freundes Professor G. gleich mit abzudrucken, wie beim Kollegen P. geschehen. Überzeugt mich nicht.

Allerdings kenne ich nicht einmal den Pförtner der Akademie der Wissenschaften der D.; d. h., meine Waffen sind vergleichsweise stumpf. Aber sie sind meine eigenen: Die ausführliche Kritik des P.schen Humbugs wird nächstens in den Archives Internationales d'Histoire des Sciences erscheinen.

Als neutralen Schiedsrichter könnten Sie dann z. B. Herrn Professor Kn. von der Universität in . . . heranziehen.

Mit freundlichen Grüßen

Ihr

(Unterschrift)

Muß es noch gesagt werden, daß die „Archives Internationales" Erzrivalen des „Archive for History of Exact Sciences" sind?

2. DIE WISSENSCHAFTLICHE ARBEIT

. . . atque inter silvas Academi quaerere verum.

(. . . und in Academos' Baumgängen zu forschen nach der Wahrheit.)

Horaz, Ep. II, 2, 45

Lehren ohne Schüler
Schreiben ohne Ruhm
Ist schwer.

Es ist schön, am Morgen wegzugehen
Mit den frisch beschriebenen Blättern
Zu dem wartenden Drucker, über den summenden Markt
Wo sie Fleisch verkaufen und Handwerkszeug:
Du verkaufst Sätze.

Bertolt Brecht, Über das Lehren ohne Schüler,
Gesammelte Werke, Bd. 4
Frankfurt/M.1967, S. 556

Wissenschaftliches Arbeiten als kreative Tätigkeit steht unter dem Motto „Publiziere oder krepiere“, englisch „ Publish or perish“ , lateinisch „Aut scribere aut mori“ . In diesem rüden Wort ist die Drohung explizit gemacht, daß eine akademische Laufbahn dramatisch verkürzt werden kann, wenn die kreativ beschrifteten Seiten fehlen.

Der Trieb zum Bücherschreiben fällt, wie Lichtenberg in seinem Sudelbuch B [132] so aufmerksam bemerkt hat, gemeiniglich wie ein anderer ebenso starker in die Zeit des ersten Bartes, schwächt sich aber, wie wir hinzufügen möchten, nicht notwendig - wie doch wohl gemeiniglich jener erste - und stetig ab, wenn der Bart ergraut. Im Gegenteil wird das

Bücherschreiben mit wachsender Erfahrung naturgemäß leichter. Je mehr einer nämlich geschrieben hat, desto mehr vermag er sich auch zu zitieren. Grundsätzlich ist jedes Buch zitierfähig, auch und besonders Bücher, die eine widerstreitende These vertreten. Sie werden mit einem „siehe dagegen . . .“, „contra . . .“ , „für dieses Mißverständnis siehe . . .“ usw. in den Anmerkungsapparat verfrachtet, wo sie gerechterweise eine Diaspora bilden. Denn die Dich stützenden Bücher, Pamphlete, Dissertationen müssen dort die Mehrheit und das Sagen haben. In ihr Umfeld willst Du ja deine wissenschaftliche Arbeit einbetten, und Du bist in guter Gesellschaft unter Autoren, die mit Dir übereinstimmen. Diese sollen denn auch mit Belegen, beipflichtenden Paragraphen, mit bunten klassischen Zitaten aus allen Sprachen ausführlich aufgeführt werden.

Wenn mir eine kleine persönliche Bemerkung aus meiner eigenen akademischen Lehrzeit gestattet ist: Ich habe mich stets an den weisen Ausspruch meines verehrten Lehrers Professor Bummelböhm gehalten, der da sagte: „Ein gutes Buch steht auf seinen Fußnoten, atmet durch seinen Apparat, verkauft sich durch sein Proömium.“

In zweiter oder dritter Linie ist natürlich auch der Inhalt des Buches zu bedenken, wenn er auch, nach Titel und Vorrede, dem Index, den Fußnoten, den Danksagungen und der Bibliographie, der am wenigsten häufig gelesene Teil des Ganzen ist.

Ein Wort noch zum Titel. Wie bei den Fußnoten und den Danksagungen ist auch hier unerhörtes Fingerspitzengefühl nötig. Wenn Du für die Massen schreibst, Dich also an *hoi polloi*, die vielen, wendest, sind ungewöhnliche, reißerische und sofort ins Auge fallende Titel aus Verkaufsgründen unerläßlich, wie z. B. „Tractatus logico-philosophicus“ und „Phänomenologie des Geistes“. Andererseits genügen für zukünftige Rara, Spezialmonographien und anderes für den Connaisseur kürzere und sogar nichtssagende Titel; der Fachmann weiß eh, was gemeint ist. In diese Klasse elitärer Titel würde also gehören: „Mein Kampf", „Es muß nicht immer Kaviar sein" „Heidi", und viele andere mehr.

Trotz dieser Hilfestellungen wird es den deutschen Durchschnittsgelehrten im allgemeinen einige Wochen kosten, ein ganzes Buch zu schreiben. Kant hat sogar länger gebraucht. Das können wir uns heute nicht mehr erlauben. Einen Ausweg bieten da die Artikel in wissenschaftlichen Zeitschriften, auch kurz „papers" genannt. Diese gilt es dann zu kumulieren, damit sie Gewicht, folglich Wichtigkeit, erlangen. Der Nachteil der wissenschaftlichen Artikel ist ihre Kürze; denn aus Ermangelung gemütlicher Einführungsworte, Vorreden etc. wird die Konzentration des zufälligen Lesers allzu abrupt auf den Inhalt selbst gelenkt. Diesen nun gilt es fachmännisch zu verstecken bzw. zu kodieren in einer Sprache, die ganz Deine eigene sein sollte. Im Nachteil sind hier Vertreter von Fächern, die bereits eine standardisierte Sprache mit akzeptierter Terminologie und allgemeiner Methode haben wie die Mathematik und die Naturwissenschaften. Konsequenterweise werden hier auch nicht die großen Entdeckungen gemacht. In den Geisteswissenschaften dagegen, die trotz Schleiermachers Anstrengungen nie einer Methode subskribiert haben, ist jeder Wissenschaftler ein origineller Schöpfer. Erfindungsreichtum, Thesenvielfalt, Wortgeplänkel, Polemik: Das wird gern gelesen. Vermieden werden sollte unbedingt auch eine ungefragte Explizitheit, die als unfein gilt. Direktheit ist witzlos, so wie denn auch $x^2 - 8x = -16$ irgendwie gehaltvoller (impliziter, intentionaler) ist als $x = 4$.

Im folgenden gebe ich ein generisches Muster an Vorsicht, mit viel versteckter Bedeutung und eleganter Zirkumlokution (in Klammern meine erklärenden Anmerkungen):

Unsere (sic! communio philosophorum) Argumentation ist im letzten Schritt (vor dem Abgrund des nichtssagenden Nihilismus) selbst (höchster Gipfel bewußter Reflexion) eine Plausibilitätsbetrachtung (Achtung, hinschauen, Betrachter, wo Du hintrittst zwischen Abgrund und Gipfel), gestützt (Krücken? Brücken? hier bewußt offengelassen) durch historische Befunde (nicht einfach „Funde"), nahegelegt (nur keine zu großen Schritte) durch eine Analyse gewisser (intendiert vage) Typen (gen. subj.?) von . . . und so fort.

Als ein weiteres Beispiel prolifiker Kraft und intrikater Virtuosität folgen einige Paragraphen aus einer späten unveröffentlichten wissenschaftlichen Arbeit Professor Bummelböhms mit dem Arbeitstitel „Versuch über das Esse(n)". Die Klammer () um den Buchstaben n ist Indiz für Bummelböhms akrobatische Gewandtheit, einem im Grunde albernen Kalauer eine verblüffende Subtilität zu verleihen.

Die wenigen hier abgedruckten Sätze zeigen darüber hinaus in vorbildlicher Weise das fertile Zusammenklingen von etymologisch-philologischen Elementen mit historischer Perspektive unter systematischem Anspruch. Das sogenannte Positive (Daten, Belege, Quellen, Zitate) wird der übergreifenden Interpretation (Hermeneutik!) bescheiden untergeordnet.

Wie ersichtlich, ist die Argumentation noch vorläufig und die These eine noch zu entwickelnde (vielleicht: Esse[n] liegt dem Sein wesenhaft zu Grunde [?]); allein es mag doch lehrreich sein, ein Werk aus den letzten Lebensstunden des Professors sozusagen in statu nascendi (im Entstehen) vor Augen zu bekommen. Stilistische Eigenarten habe ich stillschweigend stehengelassen und unter Wahrung des Lautstandes wie folgt abgedruckt:

Versuch über das Esse(n.)

(Vorl. Fass.)

Wie so viele Begriffe, die aus den Tiefen vorsokratischer Ontologie den langen Weg etymologischer Profanierung haben durchmachen müssen, so auch das Esse(n). Die sanskritische Wurzel *fris* ist noch im Heraklitischen „alles frißt" unkorrumpiert erkennbar. In klassischer Zeit schleift sich das f ganz ab und verdunkelt konsequenterweise das i zum e, so daß wir im dichterischen Griechisch beim *esthiõ* = essen anlangen, während andererseits die gröbere westliche Tradition in Rom und Umgebung das lat. Verb *vesci* kreiert, parallel zum populäreren *edo, edi, esum* (äsen!) = essen. Zur Zeit des älteren Plinius (23-79 n. Chr.) hat die Volksetymologie, im Verein mit den ersten Christen, die Konjugationsreihe *sum, es, est* etc. = ich esse, du ißt, er ißt usw. geschaffen, die sich bis in das cartesische „ich esse, also bin ich" durchsetzt. Ein wenig untersuchter Seitenzweig führt über Milan, Monaco und Paris zu dem franz. *esse* = S-förmiger Haken, Achsnagel, Schalloch einer Geige.

Bei dem Dominikaner Thomas von Aquino (1225-1274) finden wir eine Demokratisierung des Esse(n)s in seinem bekannten *esse commune* = allg. Speisesaal (engl. „dining commons"), vor Albertus Magnus (1193-1280) noch meist als *refectorium* bezeichnet. Zentral für Thomasens Ontologie ist, wie wir wissen, sein Ausspruch *esse est aliquid simplex et completum* = Essen ist etwas Einfaches und Vollkommenes; während wir ja bei seinem Widerpart, dem Franziskaner Duns Scotus (1266-1308), mehrfach das *interesse* = Zwischenmahlzeit und die *quintessentia* = fünfter Gang antreffen, denen Thomas jedoch immer wieder sein *esse cui non fit additio* = Essen ohne Nachspeise entgegengeschleudert hat.

Eine ganz neue Wendung erscheint in Bischof Berkeleys (1685-1753) *esse est percipi* = Essen ist Wahrgenommenwerden oder: Sage mir, was du ißt, und so weiter, was aber Kant später natürlich widerlegt.

Das siebenzehnte Jahrhundert wartet aber auch mit ungeahnten Rafinessen (sic!) auf. Wir erwähnen nur den *esprit de finesse* in Pascals (1623-1662) Pensées, wo *pensées* ein offenbares Anagramm ist zu *essen p. e.* (par exemple) und *sense p. e.*! Neben dem Monsieur le Prof*esse*ur sehen wir später auch verstecktere Beispiele (sog. Kryptophagen) in verg*essen*, ku*essen*, Mätr*essen* u. v. a. m.

Von Albertus Magnus wird gesagt, er sei in seiner Jugend vom Esel zum Philosophen und im Alter vom Philosophen wieder zum Esel geworden. Diese Idee ist verschlüsselt in dem Zungenbrecher

> Eseln essen Nesseln nicht,
> Nesseln essen Eseln nicht.

Die vollkommenste Synthese aber von der Idee des Esse(n)s und des Professors haben wir in einem Abzählreim gefunden, den Dr. Hans Magnus Enzensberger seiner vorzüglichen Sammlung „Allerleirauh“ beigegeben hat:

> Es rugelet eppers Bärgli ab,
> es isch de Herr Professor.
> Wieviel Äpfel het er gesse?
> Eis, zwei, drei, vier, füf,
> piff, paff, puff,
> und du bisch duß.

In gelehrten Versammlungen hat sich für die Verbindung von Essen, Sein und Trinken (= kommersieren) das redensartliche „nach unserm Esse“ = „nach unserem Geschmacke, Belieben“ durchgesetzt, wie es Hoffmann von Fallersleben anläßlich des 10. Congrès scientifique de France im Herbst 1842 in einem Liedchen für die anwesenden deutschen Professoren und Tagungsteilnehmer ausgedrückt hat:

> Ja, wir wollen jetzt vereint
> Eines nur studieren:
> Wie wir recht nach unserm Esse
> Auf dem Straßburger Kongresse
> Können kommersieren.

Mitgeteilt in seiner Autobiographie
„Mein Leben", Band 3, Hannover 1868, S. 327

In engerem Sinne bedeutet in Wilhelm Hauffs „Der Mann im Monde" , Teil II: Der neue Nachbar, die Wendung „jetzt war er in seinem Esse" ganz offenbar „jetzt war er in seinem Element", und schon Meister Eckhart sagt: „Dâ sitzet er in sîme nêhsten, in sîm isse, allez in sich, niergen uzer sich."

Gibt man dagegen etwas verloren, so „schreibt man es in den Wind" oder „in die Esse" . . .

Christian Morgenstern, Doktor humoris causa, auch als glücklicher Finder und kenntnisreicher Übersetzer des fünften Buches „Oden des Horatius" berühmt, hat, dringlicher als Dilthey und Schleiermacher vor ihm, jedenfalls früher als Gadamer und Ricoeur, auf die Tücken erfolgreicher Interpretation und verständnisweisender Anmerkung verwiesen und dies an Beispielen des Privatgelehrten Dr. phil. Jeremias Mueller so sehr dargestellt, daß es mich wundert, wozu Professor Peter Szondi seinen Traktat über philologische Erkenntnis danach noch hat veröffentlichen wollen.

Hier ein Beispiel mustergültiger wissenschaftlicher Editionsarbeit:

Einführung, allgemeine Übersicht

DAS MONDSCHAF

Über die Dichtung „Das Mondschaf" allein könnte man ein dickes Buch, ja, was sage ich, mehr als ein dickes Buch schreiben. Da wären in einem Abschnitt die Beziehungen jeder einzelnen Zeile zur kantischen Philosophie im besonderen nebst der darin enthaltenen Kritik derselben aufzuzeigen, da Verf. unter dem Mondschaf doch ganz offenbar - wie ja auch die Widmung verrät - das Ding an sich verstanden wissen will, da wäre in einem andern die naturwissenschaftliche Seite der Sache zu behandeln, ob man das Mondschaf mit dem Mondkalb (cf. S. 72) in eine Reihe zu stellen habe oder ob hier ein ganz neuer Tier - oder sogar Menschentypus vorliegt, da wäre nachzuforschen, inwieweit zum Beispiel das Mondschaf einen bestimmten Menschen bezeichnet und was dann alles daraus für Ihre eigene Entwickelung, für unser Urteil über diese Entwickelung, für die Wirkung dieser Entwickelung, soweit sie vorauszusehen, und endlich für den Wert der eventuellen Wirkung dieser Entwickelung folgen dürfte, des weiteren, ob und wieviel das Opus von der Idylle des Malers Müller „Die Schaf-Schur" beeinflusst oder doch angeregt sein möchte, wohin ferner der Gleichklang des Wortes Schur mit dem französischen jour (de la gloire) zu führen vermag - ein „Ritt ins Politische" -, und endlich, ob es gelungen sein sollte, mit der lateinischen Übersetzung des „Mondschafes" die Kirchenliederpoesie des Mittelalters zu treffen und zu charakterisieren, wobei ich mir einen kleinen Abstecher in mein Spezialgebiet, die Macaroniker, kaum versagen würde, vom poesiekritischen und schönliterarischen Standpunkt ganz zu schweigen.

Das Mondschaf
Das Mondschaf steht auf weiter Flur.
Es harrt und harrt der großen Schur.
Das Mondschaf.
Das Mondschaf rupft sich einen Halm
und geht dann heim auf seine Alm.
Das Mondschaf.
Das Mondschaf spricht zu sich im Traum:
„Ich bin des Weltalls dunkler Raum."
Das Mondschaf.
Das Mondschaf liegt am Morgen tot.
Sein Leib ist weiß, die Sonne rot.
Das Mondschaf.

Lunovis (Lateinische Übertragung)

Lunovis in planitie stat
cultrumque magn' exspectitat.
Lunovis.
Lunovis herba rapta it
in montes, unde cucurrit.
Lunovis.
Lunovis habet somnium:
Se culmen rer' ess' omnium.
Lunovis.
Lunovis mane mortuumst.
Sol ruber atque ips' albumst.
Lunovis.

Beginn der Anmerkungen: J. Mueller
Mondschaf = Mundschaf = etwa: Sancta Simplicitas.
steht: hier soviel wie träumt.
auf weiter Flur: bedeutet das unabsehbare Gefilde des Menschlichen.

harrt und harrt: Man beachte den unwillkürlichen Gleichklang mit hart (durus), wodurch die Unabwendbarkeit des Wartens phonisch illustriert erscheint.

der großen Schur: Schur = jour: dies irae, dies illa. *rupft sich einen Halm*: Der Mensch bescheidet sich in Resignation. Vgl. das klassische Wort von dem Jüngling, der mit tausend Masten in See sticht usw. Man könnte auch sagen: „Entsagen sollst du, sollst entsagen."

und geht dann heim auf seine Alm: Es geht. Es läuft nicht, noch springt es. Darin liegt, wie in dem weichen, innigen „heim" - ein Wort, das nur der Deutsche hat - eine wehmütige Ergebenheit ohne Groll. Alm weist darauf hin, daß die Heimat des Verzichtenden wohl und immerhin doch in einer mäßigen Höhe zu denken ist.

Das Mondschaf spricht: Es spricht. Zu singen hat es doch wohl die rechte Frische nicht mehr. „Spricht" ist feierlich, dumpf; aber noch immer stark und bewußt.

zu sich: nicht zu andern. Es ist einsamen Geistes und verrät dies auch im Traum.

im Traum: Der Traum ist dem Mondschaft dasjenige Element, was dem Fisch die Flut.

Ich bin des Weltalls dunkler Raum: Das Mondschaf vergißt in seiner Schwermut ganz die Sterne. Sein Denken verschwägert sich schon langsam der andämmernden Todesnacht.

liegt: Es ist bereits umgesunken, vielleicht zwischen zwei und fünf Uhr morgens.

Sein Leib ist weiß: Es ist unschuldig geblieben wie Schnee. Fromm und mild hat es sein Geschick getragen und geendet.

Die Sonn ist rot: Was kümmert den Sonnenball das Mondschaf? Er behält seine roten Backen. Seine brutale Gesundheit triumphiert in gleichgültiger Grausamkeit über das weiße Weh der geknickten Menschenseele. Vgl. auch Goethe: Seele des Menschen usw. Soweit also Christian Morgenstern.

Weitere Literatur:

Dr. phil. Jeremias Mueller steht in einer ansehnlichen Tradition zitaten- und anmerkungsbewußter Gelehrter, deren Imponiergebärden sich im Spreizen eines riesigen *apparatus criticus* auszudrücken pflegen. Christian Ludwig Liscow (1701-1760) versieht seine Satire „Klägliche Geschichte von der jämmerlichen Zerstörung der Stadt Jerusalem" (1732) mit einem schützenden Panzer (sog. „protective belt") aus 101 Anmerkungen, drei Registern und einer nachträglichen „Entschuldigung an den geneigten Leser" (Bd. 1, S. 105-172, Reprint Athenäum, Frankfurt/M.1972, der von Carl Müchler besorgten Ausgabe der Schriften, Berlin 1806).

Gottlieb Wilhelm Rabener hat mit „Martin Scribler dem jungeren" einen Vorläufer Muellers und direkten Nachfahren des Popeschen Gelehrten Martinus Scriblerus geschaffen. Martin formuliert in „De epistolis gratulatoribus" den allgemeinen Ehrgeiz seines Standes, nämlich daß „die Belesenheit des Verfassers in die Augen falle, und die gelehrte Welt einen tröstlichen Zuwachs erhalte". Seine Plethora von Belegstellen (für die Präposition „ex" sind es allein hundertsiebzehn) und ein Thesaurus, den man auch im Philosophenturm der Universität Hamburg nicht schöner findet, befriedigen denn auch alle Ansprüche.

Von hier ist es nur noch ein kleiner konsequenter Schritt zu Rabeners reinstem Produkt philologischer Arbeit, zu „Hinkmar von Repkows Noten ohne Text" von 1745 (Sämtliche Schriften Herrn G. W. Rabeners. Zweyter u. Dritter Theil: Satiren, mit Kupfern, Bern 1775).

Ein tiefsinniges Gedicht steht, wie bei Mueller das „Mondschaf" auch im Mittelpunkt pompöser editorisch-kritischer Aufmerksamkeit eines gewissen Dr. Chrysostomus Mathanasius (mit beigegebenem Portrait) in Hyacinthe Cordonniers „Le Chef d'œuvre inconnu" (Den Haag 1714, danach mehrere Auflagen).

Entdeckungen und wissenschaftliche Arbeiten des schon genannten Dr. Martinus Scriblerus („made and to be made, written and to be written, known and unknown") sind aufgelistet im 17. Kapitel der „Memoirs of Martinus Scriblerus" von Alexander Pope (und anderen aus dem Scriblerus-Club: vgl. die reich kommentierte Edition von Charles Kerby-Miller. Published for Wellesley College by Yale University Press, New Haven 1950; hier S. 71 ff. auch Nachweise literarischer Verwandtschaft mit Swifts „Tale of a Tub", „Battle of the Books" und besonders Samuel Butlers gereimtem „Hudibras").

Dem mitdenkenden Leser (lector intende!) ist längst klargeworden, daß der Autor dieses Handbuches von allen genannten Doctoribus sich den Habitus einer polyhistorischen Gelahrtheit, die sich vor allem im mikrologischen, curiösen und galanten Detail ergeht, abgeguckt hat, eben wegen der dadurch implizierten Allotria, das ist griechisch für Verfremdungseffekt, in einer von Monohistorie, Monogamie und Monotonie verblendeten Zeit.

3. DIE VORLESUNG

Disputationes praeparatae et effusae
audiente populo plus habent strepitus,
minus familiaritatis.
(Vorträge, ausgearbeitet und vorgetragen,
wenn eine Menge zuhört, bieten mehr Getön,
weniger Vertrautheit.)

Seneca, 38. Brief an Lucilius

Wagner:
Allein der Vortrag macht des Redners Glück;
Ich fühl' es wohl, noch bin ich weit zurück.

Faust I

Sag nicht zu oft, du hast recht, Lehrer!
Laß es den Schüler erkennen!
Strenge die Wahrheit nicht allzu sehr an:
Sie verträgt es nicht.
Höre beim Reden!

Bertolt Brecht, Gedichte, Gesammelte Werke,
Bd. 4, Frankfurt/M.1967, S.1017

Die heutige Vorlesung ist ein Bastard aus der gelehrten *disputatio* und der mittelalterlichen *praelectio*, der summierenden Auslegung kanonischer Texte. Von der ersten hat sie das Element glänzender Prunkrede geerbt, von der zweiten die Charakterisierung, sie sei ein neuer Blick durch alte Löcher.

So ist eine Vorlesung auch selten Resultat eigener Arbeit, noch bietet sie Stoff und Anleitung zu selbständiger Forschung. In ihr wird nicht die Fackel der Wissenschaft auf die nächste, schon wartende Generation übertragen. Aber sie wärmt die Epigonen schon einmal an und ist in diesem Sinne vergleichbar der Ehe à l'Abisag: So hieß nämlich das Mädchen, welches den alten König David bloß wärmte (Lichtenberg, Sudelheft F [428]).

Die mittelalterliche *disputatio ordinaria*, deren Besuch für alle Magister, Scholaren, Baccalaren obligatorisch war, war eine lange und langweilige samstägliche Veranstaltung in einer großen Kirche der Stadt, und sie begann mit dem Hahnenschrei um fünf oder sechs Uhr morgens. Der präsidierende Magister stellte einige Thesen auf, die die Streitthemen für ein stundenlanges Palaver bildeten. Fehlende Argumente wurden nicht selten durch lautes Rufen und Fußestampfen ersetzt, und die Zuhörer pflegten sich die Zeit durch Schiffeversenken und das Werfen von Papierflugzeugen zu verkürzen. Diese Auswüchse führten später zu den politischen und soziologischen Hauptseminaren.

Ernste und vor allem ernstgemeinte Disputationen wie die zwischen Luther (eigentlich Karlstadt) und Eck 1519 in Leipzig waren nicht weniger heftig, aber die Ausnahme. Hieraus entwickelten sich die diskussionsfreudigen päpstlichen Enzykliken.

Einmal im Jahr wurde über mehrere Tage die turnierähnliche *disputatio de quodlibet* abgehalten, an der vom Pedell bis zum Rektor die gesamte Universitätsgemeinde teilnahm. Aber auch dieser freie Erguß von Rede und Gegenrede war oft verabredet und so starr geregelt, daß das Interesse durch sogenannte Präsenzgelder etwas gehoben werden mußte. Jedermann wartete ohnehin nur auf das Schlußspektakel, das satyrspielähnliche Zotenschauspiel, das durch übermütige, ja grobe Themen die Stimmung noch einmal hob. In Gegenwart nicht nur des Rektors, sondern auch fremder Honoratioren wurde wohl über die Treue von Buhlerinnen abgehandelt, über Schweine und ihr Verhältnis zu liederlichen Studenten, über Konkubinen von Geistlichen - und dies alles, durch saftige Anekdoten garniert, in der größten Kirche der Stadt.

Obwohl die Disputation durch Melanchthon, der in ihr das Wesen einer akademischen Anstalt sah, noch einmal kurz in der Form von Deklamationen auflebte, verlagerte sich immer mehr der Schwerpunkt professoraler Tätigkeit auf die Vorlesung. Bevor die Erfindung der Buchdruckerkunst Bücher zur Massenware machte und das Taschenbuch aufkam, waren die Vorlesungen genau das: Lesungen aus großen Büchern, die der arme Scholar oft selbst abschreiben mußte, um einen Text in Händen zu haben. Erläuterungen durch den rutenbewaffneten Magister wurden ergänzt durch Scholien alter Meister und Kommentare noch älterer Meister, vor allem des Aristoteles, des „alten Weltarschpaukers", wie Heine ihn nennt. Kein Wunder, wenn in vielen Wissenschaften kein Fortschritt erzielt wurde. Alte Resultate blieben eingesperrt in starren Syllogismen, deren schematische Schlußweisen nicht gerade Überraschungen hervorbringen. Auch war es wichtiger, in der angemessenen Kleidung zu erscheinen, als das Selbstdenken anzuregen, wozu auch unter den Magistern die wenigsten fähig waren, mußten sie doch regelmäßig über jedes Thema aus dem Bereich ihrer Fakultät lesen. Daß oft Vorlesungen wegen lukrativer auswärtiger Verpflichtung ausgesetzt wurden und die Studenten ohnehin gern schwänzten, half der Vertiefung des Stoffes gewiß nicht. Als Ergänzungen wurden Übungen und Repetitionen abgehalten, und zwar vom Professor selbst, der Fragen beantwortete und Fragen stellte.

Das „Chronikon" Pellikans beschreibt eine Vorlesung in der artistischen (= philosophischen) Fakultät der Universität Heidelberg, an der Pellikans Onkel Jodocus Gallus 1480 als junger Magister über aristotelische Logik und Physik las:

> Vor der Vorlesung schrieb er sich alles, was er sagen wollte, für jede Stunde mit wenigen Worten und Bemerkungen auf einen Zettel, den er nach der Vorlesung sorgfältig wie einen Goldschatz aufhob, um nach ein oder zwei Jahren, für den Fall, daß er den Schriftsteller wieder behandeln wollte, all seine Aufzeichnungen

> wohl geordnet zur Hand zu haben. Wenn er über einen Dichter zu lesen hatte, schrieb er das Nötige an den Rand, damit die einmal recht verstandene Stelle auch künftighin klar erscheine. Beim Beginn seiner Vorlesung fragte er stets zuerst nach dem, was er in der vorigen Stunde vorgetragen und erklärt hatte; aber keiner wußte, von wem er Rechenschaft fordern werde, ein Verfahren, durch das er alle in gespannter Aufmerksamkeit erhielt. Fand er einen offenbar nachlässigen, namentlich unter den armen Schülern, so schritt er rücksichtslos ein; gegen Dreistigkeit oder Zerstreutheit wurde er sogar mitunter handgreiflich. Auf diese Weise kam er mit seinen Schülern sehr weit, die Saumseligen und Nachlässigen zitterten vor ihm.
>
> Zitiert nach Fr. Paulsen (1919), S. 39

Was reiche oder adlige Studenten sich an der Universität erlauben konnten, zeigte später der unrühmliche Fall Wallenstein in Altdorf, wo dieser mit ungezügelter Wildheit randalierte, zerstörte, einen Studenten in den Fuß stach, seinen eigenen Diener wegen einer Kleinigkeit auspeitschte, in eine Mordsache verstrickt war, die heilige Dreieinigkeit beschimpfte und verspottete - und mit mildem Hausarrest davonkam.

Die Einteilung in Vorlesung und Übung plus Repetitorium ist auch zur Zeit Kants noch voll gültig und wird auch heute noch, in reformierter Gestalt, beibehalten. Kant hielt seine Vorlesungen von sieben bis neun oder auch noch früher (er stand bekanntlich um Punkt fünf auf) und sein Repetitorium sonnabends von sieben bis acht. Über Kant schreibt sein Biograph Jachmann:

> In den öffentlichen Vorlesungen konnte sein Hörsaal, besonders im Anfang des halben Jahres, die große Zahl seiner Zuhörer nicht fassen, sondern viele mußten eine

Nebenstube und die Hausflur einnehmen. Da seine Stimme schwach war, so herrschte in seinem Hörsaale die größte Stille, um ihn nur in einiger Entfernung verstehen zu können. Kant saß etwas erhaben vor einem niedrigen Pulte, über welches er fortsehen konnte. Er faßte bei seinem Vortrage gewöhnlich einen nahe vor ihm sitzenden Zuhörer ins Auge und las gleichsam aus dessen Gesicht, ob er verstanden wäre. Dann konnte ihn aber auch die geringste Kleinigkeit stören, besonders wenn dadurch eine natürliche oder angenommene Ordnung unterbrochen wurde, die dann gleichfalls die Ordnung seiner Ideen unterbrach. In einer Stunde fiel mir seine Zerstreutheit ganz besonders auf. Am Mittage versicherte mir Kant, er wäre immer in seinen Gedanken unterbrochen worden, weil einem dicht vor ihm sitzenden Zuhörer ein Knopf am Rocke gefehlt hätte. Unwillkürlich wären seine Augen und seine Gedanken auf diese Lücke hingezogen worden und dies hätte ihn so zerstreut. Er machte dabei zugleich die Bemerkung, daß dieses mehr oder weniger einem jeden Menschen so ginge, und daß z. B., wenn die Reihe Zähne eines Menschen durch eine Zahnlücke unterbrochen wäre, man gerade immer nach dieser Lücke hinsehe. Diese Bemerkung hat er auch mehrmals in seiner Anthropologie angeführt. . . . Ebenso zerstreute ihn ein auffallendes und sogenanntes geniemäßiges Äußere an einem naheliegenden Zuhörer, z. B. die damals noch ungewöhnliche über Stirn und Nacken los hängenden Haare, ein ungedeckter Hals und eine offene Brust oder die Figur eines nachmaligen Inkroyable.

Jachmann, S.135

Es ist kaum vorstellbar, wie der solide, kleine Mann aus Königsberg einen ganzen Hörsaal hingerissen haben soll. Dabei ist aber zu bemerken, daß die damaligen Hörsaale klein und oft, nämlich für die Privatvorlesungen, nichts anderes als große Zimmer in Privathäusern waren, und einige Dutzend Studenten konnten schon eine „beinahe unglaubliche Menge“ darstellen und den Weltweisen verlegen machen.

Professor Immanuel Kant
und das Ding an sich

Der Kirchenrath Borowski berichtet:

> Ich hörte ihn im Jahre 1755 in seiner ersten Vorlesungsstunde. Er wohnte damals in des Prof. Kypke Hause, auf der Neustadt und hatte hier einen geräumigen Hörsaal, der samt dem Vorhause und der Treppe mit einer beinahe unglaublichen Menge von Studierenden angefüllt war. Dieses schien K. äußerst verlegen zu machen. Er, ungewohnt der Sache, verlor beinahe die Fassung, sprach leiser noch als gewöhnlich, korrigierte

sich selbst oft: aber gerade dieses gab unserer Bewunderung des Mannes, für den wir nun einmal die Präsumtion der umfänglichsten Gelehrsamkeit hatten und der uns hier bloß sehr bescheiden, nicht furchtsam vorkam, nur einen desto lebhafteren Schwung. . . . Oft führte ihn die Fülle seiner Kenntnisse auf Abschweifungen, die aber doch immer sehr interessant waren, von der Hauptsache. Wenn er bemerkte, daß er zu weit ausgewichen war, brach er geschwind mit einem „Und so weiter" oder „Und so fortan" ab und kehrte zur Hauptsache zurück. . . . Freilich war rege Aufmerksamkeit bei seinen Vorträgen nötig. Die manchem Gelehrten ganz eigene Gabe, die vorkommenden Begriffe und Sachen ganz ins klare für jeden zu setzen, sie etwa durch Wiederholung in andern Ausdrücken auch dem versäumtern und zerstreutern Zuhörern doch faßlich zu machen, diesen, nach dem jetzt in Gang gebrachten Ausdrucke, gleichsam *zum Verstehen zu bringen*, war K. freilich nicht eigen. Es mußte auf alles, wie billig, genau gemerkt werden.

Borowski, S. 85 f.

Besonders aber in den Moralvorlesungen waren Herz, Gefühl und Verstand seiner Hörer in Bewegung:

Ja es gewährte ein himmlisches Entzücken, diese reine und erhabene Tugendlehre mit solcher kraftvollen philosophischen Beredsamkeit aus dem Munde ihres Urhebers selbst anzuhören. Ach, wie oft rührte er uns bis zu Tränen, wie oft erschütterte er gewaltsam unser Herz, wie oft erhob er unsern Geist und unser Gefühl aus den Fesseln des selbstsüchtigen Eudämonismus zu dem hohen Selbstbewußtsein der reinen Willensfreiheit, zum unbedingten Gehorsam gegen das Vernunftgesetz und zu dem Hochgefühl einer uneigennützigen Pflichterfül-

> lung! Der unsterbliche Weltweise schien uns dann von himmlischer Kraft begeistert zu sein und begeisterte auch uns, die wir ihn voll Verwunderung anhörten. Seine Zuhörer verließen gewiß keine Stunde seiner Sittenlehre, ohne besser geworden zu sein.
>
> Jachmann, S.133 f.

Auch in Kantens Stundenplan gab es noch Disputationsübungen mit seinen Schülern (Borowski, S. 18), doch waren dies jetzt nicht mehr leere Wortschlachten oder Deklamationen, sondern dialogische wissenschaftliche Beweisführungen, die auch oft gedruckt wurden (vgl. auch Schmids Eintrag über „Disputiren“). Was die Repetitorien betraf, so war Kant über Unaufmerksamkeit und Unwissen genauso ungehalten wie Jodocus Gallus dreihundert Jahre vor ihm und unsere Professoren zweihundert Jahre nach ihm.

Selbst für seine Biographen überraschend, hat Kant durch Vorlesungen und Gehälter, nach haushälterischem Professoren- und Junggesellenleben, zwanzigtausend Taler gespart. Seit dem Mittelalter hatte nämlich der Student für Privatvorlesungen ein Honorar zu zahlen, und manchmal mußte durch Los entschieden werden, wer die einträglicheren Vorlesungen hielt. Hörergelder hat es auch nach dem Zweiten Weltkrieg, manchmal in indirekter Form, noch gegeben, und es leben noch einige sogenannte Honorarprofessoren.

Öffentliche Vorlesungen vermochten dagegen Ruhm und Popularität zu heben. Fichte, gerade nach Jena berufen als Professor philosophiae ordinarius supernumerarius mit 200 Talern Besoldung, wählte diesen Weg, um bekannt zu werden. Stolz schreibt er seiner Frau über den Andrang zu seiner öffentlichen Vorlesung „Über die Pflichten des Gelehrten“:

> Verwichenen Freitag hielt ich meine erste öffentliche Vorlesung. Das gröste Auditorium in Jena war zu enge; der ganze Hausflur, der Hof stand voll, auf Tischen, u.

> Bänken standen sie einander auf den Köpfen. . . . Mein Vortrag ist, soviel ich gehört habe, mit allgemeinem Beifall aufgenommen worden.
>
> Brief vom 26. Mai 1794

Und tatsächlich gelingt es Fichte, durch diese Vorlesung nicht nur eine umstrittene Zelebrität zu werden (allerdings mehr durch die gleichzeitig auftretende Kontroverse um zwei Revolutionsschriften), sondern durch ihren Druck auch 30 Louisdor zu verdienen.

Der junge Schelling in Jena muß geradezu sensationell gewesen sein. Hegels Biograph Rosenkranz schreibt über ihn:

> Mit persönlicher Zuversicht verband er rhetorische Leichtigkeit. Überdem fesselte die Zuhörer der Nimbus eines Revolutionärs in der Philosophie, welchen Schelling stets über sein öffentliches Auftreten zu verbreiten wußte.
>
> Rosenkranz, S. 160

Zur selben Zeit, vor 1806, lehrte Hegel als Dozent in Jena. In Stil und Auftreten zumindest war er keine Konkurrenz zu dem Starprofessor Schelling. Rosenkranz schreibt:

> Gegen sein (d. i. Schellings) genial nachlässiges, vornehm unbestimmtes Wesen . . machte die schlichte Manier Hegels einen merklichen Abstrich. Seine Darstellung war die eines Menschen, der, ganz von sich abstrahierend, nur auf die Sache gerichtet, zwar keineswegs des treffenden Ausdrucks, wohl aber der rednerischen Fülle entbehrte, welche den Zuhörer auch äußerlich durch den Fluß der Diktion, durch den sonoren Ton der Stimme, durch die Lebhaftigkeit der Geberde gewinnt. Er hielt im Durchschnitt eine Privatvorlesung zum Preise von drei Laubthalern und außerdem eine öf-

> fentliche Vorlesung, beide gewöhnlich zu vier Stunden wöchentlich
>
> Rosenkranz, S. 160.

Hegels Wirkung auf die Studenten in Jena beschreibt Rosenkranz so:

> Rücksichtslos gegen die rhetorische Eleganz, sachlich durch und durch, tief erregt von dem Trieb der Gegenwart, immer weiter strebend, und dennoch im Ausdruck oft ganz dogmatisch, wußte Hegel die Studirenden durch die Intensität seiner Speculation zu fesseln. Seine Stimme hatte Aehnlichkeit mit seinem Auge. Dies war groß, aber nach Innen gekehrt und der gebrochen glänzende Blick von tiefster Idealität, welcher momentan auch nach Außen hin von der ergreifendsten Gewalt war. Die Stimme war etwas breit, ohne sonoren Klang, allein durch die scheinbare Gewöhnlichkeit drang jene hohe Beseelung hin, welche die Macht der Erkenntniß erzeugte und welche in Augenblicken, in denen der Genius der Menschheit aus ihm seine Zuhörer beschwor, Niemanden unbewegt ließ. Der Ernst der edlen Züge hatte zuerst wenn nicht etwas Abschreckendes doch Abhaltendes, aber durch die Milde und Freundlichkeit des Ausdrucks wurde man wieder gewonnen und genähert. Ein eigenthümliches Lächeln offenbarte das reinste Wohlwollen, allein zugleich lag etwas Herbes, ja Schneidendes, Schmerzliches oder vielmehr Ironisches darin. Es spiegelte sich in ihm der tragische Zug des Philosophen, des Helden, der mit dem Räthsel der Welt ringt.
>
> Rosenkranz, S. 215

Hegel verbesserte seinen Vorlesungsstil sehr durch seine pädagogischen Erfahrungen als Rektor des Nürnberger Gymnasiums, wo er hauptsächlich Philosophie, aber auch Griechisch und Differential- und Integralrechnung unterrichtete, „Taback rechts und links reichlich verstreuend“, wie Rosenkranz weiß (S. 249). Der Anstrengung des Begriffs gilt es sich zu stellen, daß einem Hören und Sehen vergehe. Seinen Hörern später in Berlin, wo Hegel Fichtes Nachfolger wurde, ist es wohl auch so gegangen.

> Unmerklich war Hegel in Berlin, ja in Preußen zu einer großen Macht gelangt. Es wurde Ton, ihn zu hören. Männer aus allen Ständen besuchten seine Vorlesungen. Studierende aus allen Gegenden Deutschlands, aus allen Europäischen Nationen, insbesondere Polen, aber auch Neugriechen und Scandinavier, saßen zu seinen Füßen und lauschten seinen magischen Worten, die er, in Papieren auf dem Katheder wühlend, hustend, schnupfend, sich wiederholend, nicht ohne Mühsamkeit vorbrachte. Die Tiefe des Inhalts durchdrang die Geister und ließ sie im reinsten Enthusiasmus auflodern.
>
> Rosenkranz, S. 379 f.

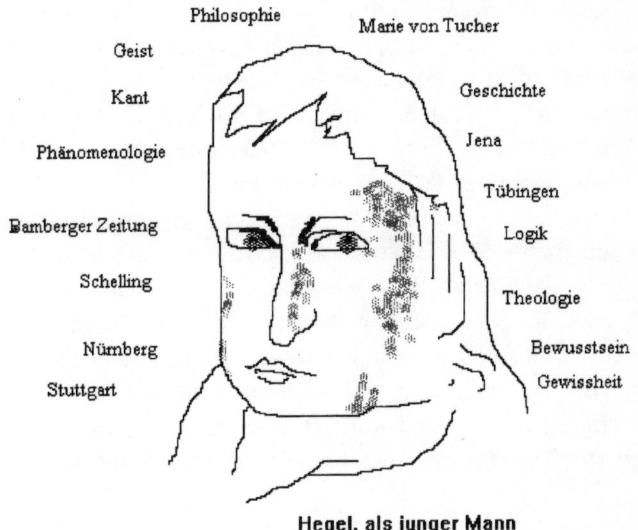

Hegel, als junger Mann

Wie bei Fichte und Schelling bildete sich auch um Hegel ein Fanclub, aus dem viele Anekdötchen über den Meister ins Publikum drangen. Kein Wunder, daß trivialisierende Hegeleien im Schwange waren und bald Neider auftraten. So zirkulierte 1831 in Berlin ein Pamphlet mit dem Titel „Die Winde - Dünste eines schlaffen Magens. Von Absolutus von Hegelingen", welches auch Goethe bekannt wurde. Neben dieser harmlosen Enkomiastik war aber auch schärferer professioneller Neid nicht selten. Am bekanntesten ist Schopenhauers Versuch, dem großen Hegel seine Hörer zu stehlen, indem er bewußt und planmäßig zur selben Zeit wie Hegel seine eigenen Vorlesungen ankündigte. Mit dem Erfolg, daß Arthur sein Kolleg nur unter dem Trostwort „tres faciunt collegium" abhalten konnte. Dabei war er in guter Gesellschaft. Dreihundert Jahre früher klagte Melanchthon, immerhin praeceptor Germaniae, über fehlende Studenten, die in den Wirren der Reformationszeit die Universitäten mieden. Im Jahr 1531 klagte er: Wie einst Homer, gehe auch er betteln, nämlich nach Zuhörern. Und 1534: „Morgen beginne ich die Interpretation der Antigone. Eine Ermahnung mag ich nicht hinzufügen, denn bei diesen Barbarengemütern wäre sie doch vergeblich." (Nach Reicke, Der Lehrer, S. 71) Überquellende Hörsäle sind auch heute nicht selten, wenn ein berühmter Matador allgemeinverständlich liest. So erinnere ich mich an die vierstündige Von-Weizsäcker-Show im Wintersemester 1966, laufende Vorlesungsnummer 801, im Auditorium maximum der Universität Hamburg. Unser auffallendes und geniemäßiges Äußere der beginnenden Studentenrevolte kontrastierte wirkungsvoll mit der auch teilnehmenden hanseatischen Bürgereleganz. Aber während von Weizsäckers Kant-Zelebrierung waren wir eins und einig in der Bewunderung des Professors, der, frei sprechend in aufpolierter kantischer Diktion, schlichtweg faszinierend war. Ich höre manchmal im Traume noch das Raunen, das sich wie die anschwellende Flut der

Elbe von vorn nach hinten durch das Tausende zählende Auditorium pflanzte, als der Gelehrte andeutete, das Inhaltsverzeichnis der „Kritik der reinen Vernunft“ sei gegenwärtig, unter seiner Betreuung, das Thema einer großangelegten Doktorarbeit.

Wahrscheinlich hatte die Vorlesung ihre Hoch-Zeit in den Universitäten des deutschen Idealismus. Später, und auch heute, studierte der Student ein *Fach*, also fürs Leben, nicht für die Schule, und verlangte Vorlesungen, die auf seinen stromlinienförmigen Studiengang zugeschnitten waren. Hochschulen sind für alle da, nicht nur für Reiche oder Adlige oder Begabte - und das ist auch gut so. Den Charakter der Universitas aber hat diese neue Population verändert, so sehr, daß das Aushängeschild der Wissenschaftlichkeit an manchen ausländischen Elite-Universitäten mit mehr Recht hängt als bei Humboldts Nachfahren.

Berthold Dietrich Bummelböhm war vielleicht der letzte, der sich öffentlich zu einem weitverzweigten Eklektizismus als Weltanschauung bekannte, weshalb er in Tübingen auch der „kahle Rhapsodist“ genannt wurde („kahl“, weil er bereits mit 23 Jahren sein Haupthaar verloren hatte). Aber an seinen immer etwas zu roten Lippen hingen sie doch alle, kamen sogar wöchentlich aus Freiburg herauf, um seine Vorlesung über „Moderne Physik und Poesie“ zu hören. Heidegger soll ihn sehr geschätzt haben, und mit Gadamer war einmal in Heidelberg ein Oberseminar über Hermeneutik und Shakespeares Sonnet 129 „The Expense of Spirit“ geplant (das dann aber aus verschiedenen Gründen nicht zustande kam).

Wie sah Bummelböhm seinen Vorlesungsstil? Ich war nie sicher, ob er mit uns spaßte, oder ob’s ihm ernst war. Seinem Tagebuch jedenfalls entnehme ich:

Es gilt unbedingt, am Pulte eine Miene unendlicher Überlegenheit anzunehmen, und der Student muß *hören*, daß der Professor da vorn einen weißen Chemierollkragenpullover anhat, aus dem sich jene palpablen Sophismen herausdrängen. Während die Sprechorgane mit der Erzeugung des glänzendsten rhetorischen Trommelwirbels beschäftigt sind, deuten die weißen Arme in überwölbender Geste Versöhnung und Vermittlung an.

Was auch immer die Vorlesung zum Inhalt habe, für ihren Erfolg ist wesentlich, was Frege über seine Abhandlung über Herrn Schuberts Zahlen schrieb: „Was den Ton der Darstellung anbetrifft, so wird man ihn, denke ich, zu der Würde des Gegenstandes passend finden."

4. NÄNIE AUF EINEN VERSTORBENEN KOLLEGEN

Sehr verehrte, gnädige Frau,
Ew. Magnifizenz,
Geehrte Kollegen,
Meine lieben Studenten!

Tief erschüttert und betroffen sitzen wir hier und heute im geschmückten Auditorium unserer Universität, um Abschied zu nehmen von einem der Unsrigen. Unser Gemahl, unser Kollege Wolfsohn, unser Lehrer ist nicht mehr. Das ist ein Faktum.

Doch sollte dies alles sein? - Nein und abermals nein! liebe Trauergemeinde. Laßt die Toten ihre Toten begraben, uns gehört der Lebende an, und wenn er könnte, würde er uns zurufen: Tod, wo ist dein Stachel? Hölle, wo ist dein Sieg?

Gesiegt hat der, den wir heute verabschieden. Denn er wird fortleben in unsrer Erinnerung und in seinen Publikationen. Seine letzte Arbeit, sie erschien vor nun bald sechzehn Jahren im Büsumer Gelehrtenkalendar, enthält auf nur vier Seiten fast so etwas wie ein menschliches Vermächtnis und akademisches Testament. In echter Humanität und ehrender Achtung vor dem höheren Sinn schreibt, d. i. schrieb er, dort: „Und wir, wo stehen wir heute?“ Diese seine Lehre gilt es zu bewahren, zu verkünden und zu verbessern.

Nicht nur in der Forschung, nein, auch in der Lehre hat der Verstorbene Außergewöhnliches sich geleistet. Denn was er tat, das tat er ganz oder gar nicht. Mit einem munter auffordernden „Jeder für sich und Gott für uns alle!“ teilte er die Klausuren aus und erzog so, in kreativer Umdeutung des bekannten Humboldtwortes, zu Einsamkeit und Disziplin.

Ihn selbst, den Verstorbenen also, leiteten ebenfalls Disziplin und - Pflicht. Er war ein kantischer Gentleman von der Ferse bis zur Zeh.

Ja, das bringt mich zu Ihnen, verehrte, gnädige Frau Wolfsohn. Als Freund und Kollegen Ihres Gatten, meines Lehrers, obliegt es mir hier, und ich habe das gerne übernommen, Ihnen unsere Anteilnahme auszusprechen, aus all den oben angeführten Gründen.

So rufen wir dir zu guter Letzt nach: Fahre wohl, Joseph, hintan in eine bessere Welt! Wir alle hienieden aber müssen stark sein und dürfen keine glänzende Träne vergießen, weder der Wehmut noch des Schmerzes; denn du hättest es sicher auch nicht gewollt!

Will der Organist nun bitte schnell „So nimm denn meine Hände“ spielen. Wo ist mein Gesangbuch - ach so ja, hier. Danke Ihnen.

Anderntags erschien in der Universitätszeitung noch der folgende

Nachruf
Joseph Wolfsohn ist geschieden,
Mann von Ehre, höhrem Sinn.
Unverstanden bleibt hienieden
Joseph Wolfsohn: er ist hin.

Friederike Kempner, 1836-1904.

Weitere Literatur zur Gelehrtennänie:

Georg Christoph Lichtenberg: Rede dem Andenken des sel. Kunkels gewidmet. In einer Versammlung von Studenten gehalten. Worin vieles zur gelehrten Geschichte der letzten Monate Gehöriges vorkommt.

In G. Ch. L. , Schriften und Briefe, Bd. 1, Hrsg. F. H. Mautner, Frankfurt/M. 1983

5. ALLGEMEINE ANTWORTEN

The answer, my friend, is blowin' in the wind,
The answer is blowin' in the wind.

Bob Dylan, 1962

Das ist eine sehr interessante Frage und trifft eigentlich den Kern des Problems, das ich Ihnen darzustellen versucht habe. Andererseits wäre Ihnen mit einer nur „netten" Antwort, wie Hegel es nennen würde, nicht gedient. Dazu ist der gesamte Problemkreis zu komplex, nicht wahr; denn wir würden ja die historische Komponente außer acht lassen. „Historia docet", wie Sie wissen, Geschichte belehrt. Den systematischen Aspekt, andererseits, haben Sie sehr richtig herausgestellt, und das ist relevant hier. Habe ich damit Ihre Frage, mindestens im Kern, einigermaßen beantwortet?

Ja, Sie haben recht und nehmen mit Ihrer Frage einen wichtigen Teil meiner späteren Ausführungen vorweg. Ich werde also darauf zurückkommen.

Sehr richtig. Ich bin Ihnen dankbar, daß Sie diesen Punkt hier erwähnen. Allerdings glaube ich nicht, daß er uns in diesem Zusammenhang weiterhilft.

Nun, lassen Sie mich nachdenken. Sehr interessant. Das „Interessante" als dichterische Kategorie beschreibt schon Schlegel, Friedrich Schlegel, in einem seiner Fragmente. Es wäre aufschlußreich, dieses „Interessante" dem „Häßlichen" gegenüberzustellen und zu sehen, ob. Das überlasse ich Ihnen. Vielleicht als Seminararbeit? Ja, warum eigentlich nicht.

Nein, nein, in keinem Fall. Adorno hat dem bereits 1966 oder so widersprochen und nachgewiesen, daß dem nicht so sein kann und es so nicht geht. Vergleichen Sie seine Gesammelten Werke. Zu Anfang der Sechziger habe ich selbst kurz darüber gearbeitet und bin zu ganz ähnlichen Ergebnissen gekommen, habe sie aber nicht veröffentlicht.

Kommen Sie doch in meine Sprechstunde. Wir können dann in Ruhe . . . einverstanden?

Ich wünschte nicht, Euch irre zu führen. Was diese Wissenschaft betrifft, es ist so schwer, den falschen Weg zu meiden, es liegt in ihr so viel verborgnes Gift, und von der Arznei ist's kaum zu unterscheiden. Am besten ist's auch hier, wenn Ihr nur einen hört und auf des Meisters Worte schwört.

6. UNGESCHRIEBENE DOKTORARBEITEN

Die folgende Liste enthält, thematisch geordnet und mit sporadischen Literaturhinweisen versehen, einige Themenvorschläge für noch ungeschriebene Dissertationen. Es ist zu erwarten, daß der intelligente Leser seine eigenen Vorschläge ad libidum, ad absurdum und ad infinitum dieser Sammlung hinzuschlagen wird.

1. GERMANISTIK UND VERGLEICHENDE LITERATURWISSENSCHAFT

1.1 Worin besteht die Unbildung der Frau Stöhr in Thomas Manns „Der Zauberberg“ ?

1.2 Der Zwischenkieferknochen als Element des Dichterischen in Goethes Gesamtwerk

1.3 Binäre Struktur in den frühen Gedichten Goethes: Eine strukturale Studie

1.4 Reste des Sanskrit im Plattdeutschen in der Gegend südlich von Dithmarschen (Schleswig-Holstein)

1.5 Kalauer im Werk Thomas Manns

1.6 Der Punkt und das Komma bei Thomas Mann und Robert Musil

1.7 Eine empirische Untersuchung der Druckfehlerverteilung im Nachrichten-Magazin „DER SPIEGEL“ und ihr Einfluß auf die Außenpolitik der Bundesrepublik Deutschland

1.8 Should it be „Mad“ or „Made“ in III.1 of Shakespeare's Sonnet 129 „Tḥ' Expense of Spirit“?

1.9 Understatements in Hölderlins späten Hymnen

1.10 Poetologie bei Aristoteles und Woody Allen: eine vergleichende Analyse

1.11 Unregelmäßigkeiten in der Voßschen Homer Übersetzung. To bäh or not to bäh

1.12 Materialien zu einer Dissertationsarbeit über die Sprache in ihrer Beziehung zur Sprache und zum Weltgeschehen (s. F. Torberg, Gesammelte Werke, PPP, S. 363-369, München 1964)
1.13 Über das Ach („Habe nun, ach! Philosophie etc", weiteres bei G. Grass, Örtlich betäubt, S. 334 f., Neuwied 1969)
1.14 Die Gelehrtensatire bei Mencken, Lessing und Rehder

2. PHILOSOPHIE UND ALTERTUMSWISSENSCHAFTEN

2.1 Die Partikel bei Homer (vgl. Dr. Kuno Rath, Verzeichnis der Partikel bei Homer. Ein Fragment, Hrsg. Heinrich Mann, Bamberg 1904)
2.2 Wen oder was meinte Hegel mit der Furie des Verschwindens? (vgl. Hans Magnus Enzensberger, Furie des Verschwindens, Suhrkamp 1981)
2.3 Warum hat Sokrates vor seinem Ende dem Aeskulapius einen Hahn opfern lassen? (s. hierzu Hegels Tagebuch vom Samstag, 2. Juli 1785)
2.4 Die Zahl 3 bei Schelling, Hegel, Frege
2.5 Über die Tiefenstruktur selten gebrauchter griechischer Adverbialstrukturen
2.6 Wittgenstein und Schopenhauer -
Analogien und Unterschiede ihres Philosophierens
2.7 Beispiele versteckten Humors in Sophokles' „Antigone"
2.8 Systematisierung altgriechischer Klagelaute in Sophokles' „Philoktet" und ihre Bedeutung für die Urschreitheorie
2.9 Selbst-Bezug (self-reference) und Hermeneutischer Zirkel

2.10 Wesen und Bedeutung des Gedankenstrichs bei Nietzsche
2.11 Der Zirkumflex bei Hesiod
2.12 Transzendentalpragmatische Semiosis in der Seelenmetaphysik des Marius Victorinus Afer

3. POLITIK- UND SOZIALWISSENSCHAFTEN, GESCHICHTE

3.1 Geldbewegung ohne Arbeitsplätze. Zur Theorie Milton Friedmans
3.2 Schaufensterdekorationen während des Dritten Reiches als Beitrag zur Zeitgeschichte politischer Ästhetik
3.3 Nervöse Reaktionen im Kriegsfalle (Dr. rer. pol.)
3.4 Nervöse Reaktionen im Friedensfalle (Dr. psych.)
3.5 Aufstieg und Fall des deutschen Bauern
3.6 Kurzgefaßte Kulturgeschichte des zweiseitigen Radiergummis
3.7 Altfränkische Klugheit und hanseatische Neologismen. Zur Begriffsproblematik freier Marktwirtschaft bei Ludwig Erhard und Karl Schiller
3.8 Fuggers Vertrieb von süßem Guajak-Holz als Mittel gegen die Syphilis und der Ablaßhandel in Augsburg als Paradigmen des Kapitalismus im frühen 16. Jahrhundert
3.9 Die objektive Methode tendenziöser Geschichtsschreibung von Herodot bis Golo Mann

4. MATHEMATIK UND NATURWISSENSCHAFTEN

4.1 Einige Sätze zum sog. Binomischen Lehrsatz (cf. Professor Moriarty, in Sir Conan Doyles Werken über Sherlock Holmes, passim)

4.2 Fernere Sätze zur Theorie Abelscher Varietäten und Beweis des Großen Fermatschen Satzes (s. Gert Faltings Arbeiten)

4.3 Finite Codierung kontextfreier Parsing-Sprachen über endlichem Alphabet

4.4 Sätze zu nichtkonstruktiven Existenzbeweisen transinfiniter Kardinalzahlen

4.5 Design und Durchführung des Farbigen Einstipp-Tests (orig. Fingerbowl-Test) an 10 000 Grundschulkindern beiderlei Geschlechts (vgl. Dr. Rudolph Auer, Dept. of Psychiatry, Waindell College)

4.6 Unterschenkelamputation an der Drosophila-Fliege, in Zusammenarbeit mit dem MIT und der Johns-Hopkins-Universitätsklinik

4.7 Abwehrmechanismen der stachellosen Honigbiene Nannotrigona postica Latr

4.8 Quasistetige Pseudodifferentialoperatoren auf halbparahyperbolischen Minimalflächen vom Geschlecht zwei

4.9 „Angewandte Mathematik ist schlechte Mathematik!" Historisch-kritische Bemerkungen zu einem Artikel des Professors Halmos

4.10 Mathematische Untersuchungen persistenter Albernheiten bei philosophischen Logiken, mit besonderer Rücksicht auf Quantenlogiken und Quark-Modelle

5. SPORTWISSENSCHAFTEN UND MEDIZIN

5.1 Die Rolle des Libero in der deutschen Bundesliga und ihr Einfluß auf die Entwicklung des europäischen Fußballs

5.2 Einige einfache Tests zur medizinischen Früherkennung pathetischen Haarausfalls bei Männern über 39

5.3 Laser-Behandlung bei Schnupfen und leichten Bronchialerkrankungen
5.4 Das Schuhwerk im Mittelalter und sein Einfluß auf das mitteleuropäische Plattfußwesen
5.5 Widerlegung der Goethe-Mephistophelischen Auffassung von Medizin in „ Faust I“ , Vers 2011 bis 2036: „Der Geist der Medizin ist leicht zu fassen . . .“
5.6 Der Molar als Symbol. Zahnärztliches um die Heilige Apollonia um 250 n. Chr. (s. Günter Grass, Örtlich betäubt, passim, Neuwied 1969)
5.7 Verfärbungen der Prostata des Pudels während der Sesamstraße-Fernsehsendung als eine wichtige Anwendung moderner Sonographie
5.8 Koestler über Kammerers Kröten. Darwin, Lamarck und Feyerabends Motto des „Anything goes“
5.9 Histologische Vergleichsprinzipien bei post-mittelalterlichen Aderlaßmännchen und den mittelchinesischen Akupunkturtopologen

Kapitel II.

DIE WELTANSCHAUUNG DES DEUTSCHEN PROFESSORS

Auf den folgenden Seiten wage ich mich geradewegs in Herz und Gemüt des deutschen Professors hinein, um für ein breiteres Publikum zu beschreiben, wie’s dort drinnen aussieht und was ihn im Innersten zusammenhält.

Nach Maßgabe ihres Standes sind drei Philosophien zu unterscheiden, die jedoch als drei Stufen einer Entwicklung eine Einheit bilden und bereits von Horaz in „De arte poetica“ skizziert worden sind (Zeilen 161-174):

C-1

Der bartlose Assistenzprofessor (inberbus iuvenis), der endlich seinen Vormund los ist, vergnügt sich mit Pferden und Hunden auf dem grünen Rasen des Campus. Wachsweich ist er und anfällig für Verführung (vitium), schwerhörig gegen Ermahnungen, nachlässig im Bedenken, was ihm nützlich ist, dagegen mit Geld um sich werfend; hoch hinausstrebend und rasch in seiner Wollust (cupidus), gibt er ebenso schnellfertig auf, was er einst liebte.

C-2/C-3

Doch es wandeln sich die Neigungen: Mannesalter und Art des Extraordinarius (aetas animusque virilis) streben nach Geltung (opes) und Verbindungen; er arbeitet für die Ehre (inservit honori) und vermeidet es, sich zufestzulegen auf Dinge, die er später nur mit Mühe zurücknehmen könnte.

C-4

Vielerlei Inkommoditäten umringen den Ordinarius (senex), einerseits, weil er noch auf Vermehrung seiner Güter aus ist, sie aber geizig aufspart und sich scheut, sie zu nutzen; andererseits, weil er jede Unternehmung nur timide und kühl wie Eis (d.i. ohne Leidenschaft) angeht, zögernd, aber langfristig planend; matt im Handeln, aber zäh im Hoffen auf die Zukunft; eigensinnig und verdrießlich lobt er die Zeiten, da er selbst jung gewesen, doch ein Kritiker und Tadler der jüngeren Kollegen.

1. DER C-1-PROFESSOR UND DIE WOLLUST

. . . nec taceant mediis improba verba locis.
(. . . noch sollen beim munteren Treiben die ungezogenen Worte fehlen.)

Ovid, Ars amatoria, III, S. 796

Und wenn er schon einmal im Bordell sitzt, so spielt er Schach.

Max Frisch, Don Juan oder die Liehe zur Geometrie, Erster Akt

Wollust und Witz sind nothwendige Elemente d. Bildung; vielleicht aber nur für den Gelehrten.

F. Schlegel, Philosophische Lehrjahre,
2. Teil, Krit. Ausg., Bd.19 [150],1971, S.17

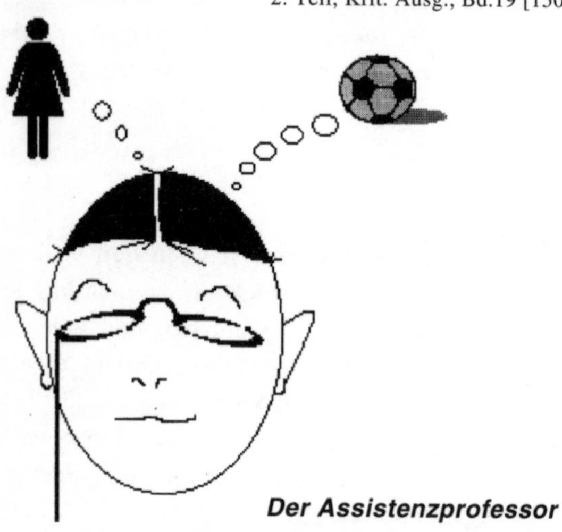

Der Assistenzprofessor

Drei Dinge nennt Spinoza am Eingang seiner Abhandlung über die Verbesserung der Einsicht, auf die der Wille von Natur gerichtet sei: Reichtum, Ehre, Wollust. Der Wille des Assistenzprofessors bildet hiervon keine Ausnahme. Im Gegenteil, seine Lebensphilosophie ist gerade begründet in der Abwesenheit aller drei. Während der C-2-/C-3-Professor das Problem der Wollust meist bereits durch eine einfache Ehe gelöst hat und nun nur noch nach Ehre und Reichtum strebt, der Ordinarius aber die Wollust vergessen hat, Ehre erheischt und lediglich seine Güter zu mehren trachtet, beginnt der Assistenzprofessor seine akademische Karriere mit einem dreifachen Defizit. Sein Streben ist infolgedessen auch dreifach verstärkt und gilt dem ferneren Erwerb von Reichtum, dem mittelfristigen Erlangen von Ruhm und Ehre und der unmittelbaren Erfüllung seiner Wollust.

Wollust als Geist

Wie soeben gezeigt, ist in der Triade Reichtum, Ehre, Wollust die Wollust die *differentia specifica* des Assistenzprofessors, das artspezifische Charakteristikum, das ihn von den höheren Professorenrängen unterscheidet. Sie ist der Sturm und Drang, die kreative Unordnung der frühen Jahre, die dem geordneten Erkennen von Wahrheit, wie wir seit Schelsky die Wissenschaft zu definieren gewohnt sind, die Energie gibt und den Schub, die etwa ein Flugzeug seinen Triebwerken verdankt. Es wäre jedoch grundfalsch, das Streben nach Erfüllung der Wollust auf die hormonale Kybernetik reduzieren zu wollen und sie als reine Fleischeslust und tierisches Wohlsein, wenngleich „durch den wirklichen Gegenstand erregt" (Kant), zu denunzieren. Dies wäre dasselbe, um im Bild zu bleiben, wie wenn wir einem Flugzeug Kraft und Geschwindigkeit zuschreiben, aber seine Flugtüchtigkeit, die doch auch wesentlich ist, gar nicht würdigen.

Um der ganzen Bandbreite des Phänomens der Wollust, von der Liebe zu den Trieben, gerecht zu werden und es als grundlegend für die Weltanschauung deutscher Assistenzprofessoren zu erkennen, ist es nötig, von Vorurteilen und möglicherweise eigenen Erfahrungen zu abstrahieren und die Wollust in erster Linie als ein geistiges Potential anzuerkennen. Es ist diese *libido spiritualis*, wie die neuere Kantforschung in Zusammenarbeit mit dem Wiener Arbeitskreis für Libidoforschung e. V. erarbeitet hat, von der Kant schreibt, sie sei

> ein unbekanntes und unbegreifliches Etwas, von dem wir weiter nichts wissen, als daß es das Subject unsrer Gedanken ist, und das bloß darum als einfach gedacht wird, weil wir es von den Beschaffenheiten (Accidenzen) unsres Cörpers unterscheiden müssen. Als existierend wird es zwar mit dem Verstande gedacht, aber nie durch Sinnlichkeit wahrgenommen. . . . Die Vorstellungen, als Prädicate dieser Substanz, müssen insgesammt davon unterschieden werden.
>
> Schmid, Wörterbuch zum leichtern Gebrauch der Kantischen Schriften, S. 264 f.

Es mag nicht vergeblich sein, nochmals hervorzuheben, daß Kant hier von dem „Subject unsrer Gedanken" spricht, nicht aber vom „Objekt unserer Gedanken", als welche die Wollust und ihre Gegenstände so oft mißdeutet werden. Ebenso bemerkenswert ist auch das Prädikat „einfach" (simplex sigillum veri!) und die klare Distinktion von allem Körperlichen und Sinnlichen sowie von eventuellen sexuellen Phantasien („Vorstellungen").

Wollust als rein gedankliche Potenz lebt fort in der allen Gebildeten geläufigen Wendung „steife Gedanken", abgeleitet von dem Cato-Wort „simul ac venas inflavit taetra libido" - wenn die garstige Wollust die Adern schwellen läßt (Horaz, Sat. II, 2/33).

Wollust als Idee

Wie Kant die Wollust als Geist/spiritus umschreibt, so gibt Fichte ihr etwas später den Namen „Idee", nämlich in der für unseren Gegenstand entscheidenden Schrift „Über das Wesen des Gelehrten und seine Erscheinungen im Gebiete der Freiheit“, zehn Erlanger Vorlesungen im SS 1805, in der Himburgischen Buchhandlung, Berlin 1806. Besonders deutlich wird diese Begriffsbestimmung in der dritten Vorlesung ausgesprochen: „Vom angehenden Gelehrten überhaupt“. Auch hier ist, wie oben, von Kraft die Rede, von Vorstellungen, vom Streben, Trachten und vom Trieb, welcher letztlich das Genie ausmacht:

> Das natürliche Talent, oder das Genie ist ja nichts weiter, als der Trieb der Idee, sich zu gestalten, die Idee aber hat an sich gar keinen Inhalt oder Körper, sondern sie erbaut sich denselben erst aus den wissenschaftlichen Umgebungen der Zeit, welche lediglich der Fleiß herbeiliefert.
>
> Fichte, a.a.O., S. 55

Den Assistenzprofessor, also angehenden Gelehrten, in seinem Verhältnis zu Welt und Idee, d. i. Wollust, beschreibt Fichte nun des längeren so:

> Die Idee selbst ist es, welche durch eigene Kraft in dem Menschen ein selbständiges und persönliches Leben sich verschafft, in diesem selbständigen Leben sich fortdauernd erhält, und vermittelst desselben die Welt ausser diesem persönlichen Leben nach sich gestaltet. Der natürliche Mensch vermag nicht durch eigene Kraft sich zum Uebernatürlichen zu erheben; er muß durch die Kraft des Uebernatürlichen selbst dazu erhoben werden. Dieses sich selbst gestaltende, und erhaltende Leben der Idee im Menschen stellt sich dar, als Liebe . . .
> In ihm (sc. dem Assistenzprofessor) strebt zuallererst die Idee, sich selbst zu fassen in einer bestimmten Ge-

> stalt, und sich zum Stehen zu bringen unter dem unaufhörlichen Wogen der mannigfaltigen Vorstellungen, die in stetem Wechsel sich in seiner Seele durchkreuzen. Er wird durch dieses Streben ergriffen von der Ahndung eines ihm noch unbekannten und in keinem deutlichen Begriffe von ihm anzugebenden Wissens, bei jedem von ihm Erfaßten fühlend, daß dieses nicht das rechte sey - ohne deutlich aussprechen zu können, was von dem Rechten ihm eigentlich abgehe, und wie das an seine Stelle zu setzende Rechte beschaffen seyn solle. Dieses Streben der Idee in ihm wird von nun an sein eigenes Leben und der höchste, und innigste Trieb desselben, und tritt an die Stelle seines bisherigen sinnlich egoistischen, bloß auf persönliche Erhaltung und thierisches Wohlseyn gerichteten Triebes; denselben sich unterordnend, und darum vernichtend, als Einzigen und Grund-Trieb.
>
> Fichte, a.a.0., S. 48 ff.

Viele Seiten später, in der siebten Vorlesung „Vom vollendeten Gelehrten im Allgemeinen“, spricht Fichte noch einmal von dem charakteristischen Defizit des Assistenzprofessors, während der vollendete Gelehrte, der Ordinarius also, die Wollust überwunden, „vernichtet“, hat und sein Trachten nur noch nach materiellen Dingen und Sachen (Fichte benutzt hier den generischen Singular „Sache“) geht:

> In dem angehenden Gelehrten soll die Sache, welche er anstrebt, die Idee, eine Gestalt und ein eigenthümliches Leben erst gewinnen; sie hat es noch nicht . . . Anders verhält es sich mit dem vollendeten Gelehrten. So gewiß er dies ist, hat die Idee in ihm ihr eigenthümliches und selbstständiges Leben begonnen; sein persönliches Leben ist nun *wirklich* in dem Leben der Idee aufgegangen, und in demselben vernichtet, welche Selbstver-

> nichtung in der Idee von den Studirenden nur angestrebt wurde. So gewiß er ein vollendeter Gelehrter ist, giebt es für ihn gar keinen Gedanken mehr an seine Person, sondern sein sämmtliches Denken geht immerfort auf im Denken an die Sache.
>
> Fichte, a.a.0. , S.136 f.

Die Vorstellung oder Phantasie, von der ich im Zusammenhang mit kantischem Geist und Fichtes Idee gesprochen habe, tritt zentral, und zwar noch vor dessen Habilitation, beim jungen Dr. Schopenhauer auf, dessen Hauptwerk mit dem Satz beginnt: „Die Welt ist meine Vorstellung." Wie bekannt, wird bei ihm die Vorstellung kontrastiert mit dem Willen, der sich lebensbejahend und am entschiedensten im Geschlechtstrieb anzeigt, diesem „Brennpunkt" des Willens. Auf diese terminologische Weise wird zwar der Erkenntnis am oberen Ende des Menschen die Wollust am unteren komplementär entgegengesetzt, sozusagen wie Kopf und Bauch, schreibt Zwerenz salopp, aber ungenau; tatsächlich bilden beide, Vorstellung und Wollust, eine symbiotische Einheit, die ihren Ausdruck auch in der unmittelbaren Nachbarschaft der beiden Einträge „Geist" und „Genitalien" (= Wollust bei Schopenhauer) im Schopenhauer-Lexikon gefunden hat. Aufkeimender Wille eben dieser Art hat den 2ljährigen im Winter 1809 zu seinem einzigen Liebesgedicht getrieben, dem aufstrebenden jungen Philosophen eingegeben von der Muse der Schauspielerin Karoline Jagemann.*

* S. unser Professorenlexikon unter LIEBESGEDICHT

Die Produktion wissenschaftlicher Arbeiten als notwendiger Ausfluß der Kreativität des jungen Gelehrten hat so allen Anfang und Ursprung im ewigen Eros, der Wollust, dem weltanschaulichen Angelpunkt des Assistenzprofessors.

Manchmal bricht sie im Alter zum erstenmal, oder auch wiederholt, hervor. Hegel schrieb als Vierzigjähriger glühende Gedichte an seine Braut Marie von Tucher und begann danach erst seine glanzvolle Zeit als Ordinarius in Berlin. Wilhelm von Humboldt stanzte seine Verse betreffend die „Griechensklavin" als 55jähriger. Den witzigen Lichtenberg, der mit 27 Professor wurde, verband gar eine lebenslange Affiliation mit der Wollust, über deren Ausführungen er Buch führte:„den Abend mit Margarethe copuliert" (vom 5. Oktober 1789).

Auslachenswürdig ist, auf der anderen Seite, ein lauer Gelehrter wie Lessings junger Herr Damis, der ein trockener Bücherwurm bleibt, prätentiös, halbgar, folglich ohne Erfolg und Appeal. Es genügt eben nicht, sieben Sprachen vollkommen zu beherrschen, wenn es an Geist, Phantasie und Wollust fehlt.

Der erfolgreiche Assistenzprofessor ist dagegen ein ganzer Mann, der voller Wißbegierde (sic!) und inbrünstig (sic!) sich auf die Wissenschaft stürzt (sic!), daß es eine Lust (sic!) ist. Daher, ich wiederhole es, sind es die Wollust und ihre Erfüllung, die der Weltanschauung des jungen C1 -Professors Grund verleihen und Tiefe.

Obwohl es auch bei Wittgenstein und Popper, bei Frege und Heidegger, vielleicht sogar bei Tugendhat schlagende Belege für das hier Gesagte gibt, oder doch eigentlich geben sollte, hat wieder einmal Dr. Schopenhauer die treffendste knappe Zusammenfassung gegeben:

> Wenn man mich frägt, wo denn die intimste Erkenntniß jenes innern Wesens der Welt, jenes Dinges an sich, das ich den Willen zum Leben genannt habe, zu erlangen sei?, oder wo jenes Wesen am deutlichsten ins Bewußtseyn tritt?, oder wo es die reinste Offenbarung seines Selbst erlangt? - so muß ich hinweisen auf die Wollust im Akt der Kopulation. Das ist es! Das ist das wahre Wesen und der Kern aller Dinge, das Ziel und

Zweck alles Daseyns. Daher auch ist es, für die lebenden Wesen, *subjective*, das Ziel alles ihren Thuns, ihr höchster Gewinn; und ist *objective* das Welterhaltende, denn die Unorganische Welt hängt an der organischen durch die Erkenntniß. Daher ist die Andacht im *Lingam* und zum *Phallus*.

Und was ist eben jenes für uns? Das sagt Shakespeare's 129stes Sonnet.

Über der Thür des Bordells zu *Pompeji* stand, unter dem Phallus, *hic habitat felicitas*: diese Inschrift befindet sich jetzt im *Studio a Napoli*.

Arthur Schopenhauer,
Der handschriftliche Nachlaß, Bd. 3, Nr.111,
Hrsg. Arthur Hübscher, Frankfurt/M.1966, S. 240

Die C-1-Hymne:
Privatdozent ist krank und bleich,
an Hunger und an Durst nur reich;
schreibt Bücher dick, jahraus, jahrein,
und niemand will Verleger sein.
Gern nimmt sein Publikum man an,
was er sich dafür kaufen kann!
Privata bringt er nie in Schwung
und hofft umsonst auf Besserung.
Weil ihn nicht zahlen tut der Staat,
wird er ein roter Demokrat,
nach Mord und Brand sein Sinn nur strebt
und niemand weiß, wovon er lebt.

Lucian Müller

2. DER C-2-/C-3-PROFESSOR - EIN GOLZ

Der Flügelflagel gaustert
durchs Wiruwaruwolz,
die rote Figur plaustert,
und grausig gutzt der Golz.

Christian Morgenstern
Gruselett

Die hier abgedruckte brillante Analyse der Philosophie des C-2-/C-3-Professors verdanke ich meinem Schweizer Freund und Kollegen, dem o. Professor Dr. Jean Paul Marchand, der, damals selbst noch Extraordinarius, jene wunderlichen Zwitterwesen zwischen dem „schon“ und dem „noch nicht“ die Dämonen der Relativität, die GOLZEN also, entdeckte.

Was sind Golzen?

Die Antwort wäre nur einfach, wenn man die Golzen wie im „La Rousse“ auf bekannte Begriffe zurückführen könnte. Aber dann wären sie reduzierbar und trivial, und das sind sie nicht.

Die Golzen sind wie die Gegenstände in einem Vexierbild: Man muß sie erst entdecken, obwohl sie schon immer vorhanden waren.

Der Extraordinarius und der Golz

Wenn ich im folgenden dieses Vexierbild von seinen zufälligen Komponenten befreie und nur auf die allgemeinen Konturen des Phänomens hinweise, so geschieht dies, weil ich dem aufmerksamen Leser zutraue, hierin den spezielleren Gegenstand des außerordentlichen Professors als Konkretisierung des Golzen auszumachen.

Um die Bühne zu bereiten und einen ersten Eindruck zu vermitteln, beginne ich mit einem Quiz:

DER GOLZENQUIZ

Haben Sie eine Vorliebe für:

(1) eine Zahl zwischen 1 und 10?
(2) eine Farbe?
(3) eine Tageszeit?
(4) einen Monat?
(5) ein Wetter?
(6) einen Landschaftstyp?
(7) eine Schachfigur?
(8) einen Finger?
(9) ein Zimmer?
(10) einen Aggregatzustand?
(11) eine Mondphase?
(12) ein musikalisches Intervall?
(13) ein Wort?

Bei den empfindsameren Lesern werden die folgenden golzischen Antworten bereits ein Aha-Erlebnis auslösen:

DIE GOLZISCHEN ANTWORTEN

(1) 7 oder 9
(2) Mauve
(3) Dämmerung
(4) November
(5) Nebel

(6) Moor
(7) Pferd
(8) Ringfinger
(9) Vestibül
(10) Dickflüssig
(11) Dreiviertelmond
(12) Verminderte Quint
(13) Zwar

Vielleicht hat auch der eine oder andere Leser die Empfindung, daß diese Antworten nicht ganz so willkürlich sind, wie sie zuerst scheinen. Dann befindet er sich im Bannkreis der Golzen.

Einen Schlüssel zu ihrem Verständnis liefert die letzte Antwort: *Zwar*, indem sich nämlich herausstellt, daß viele Golzen durch Zwar-Relationen charakterisiert werden können. So ist zum Beispiel der Ringfinger zwar nicht am Rand, aber auch nicht in der Mitte der Hand; das Vestibül zwar noch ein Teil des Hauses, aber im Verein der Zimmer doch nicht ganz gleichberechtigt; und der Dreiviertelmond zwar noch fast voll, obschon er am rechten Rand abzubröckeln beginnt.

Sobald der Golz als Dämon des Konzessiven erkannt war, bot sich für ihn ein geometrisches Symbol an:

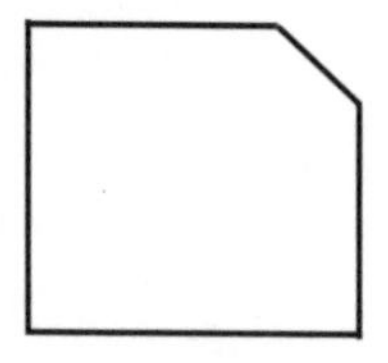

Natürlich ist diese Figur für sich noch kein Golz. Es liegt ja im Wesen des Konzessiven, daß seine Existenz nur relativ ist. Das *Zwar* dient gleichsam der Aufrechterhaltung einer Spannung, welche das *Aber* auflöst. Das reine Quadrat als Bezugsfigur ist im Golzensymbol jedoch so offensichtlich, daß sich seine korrekte konzessive Deutung aufdrängt.

Die Konzessivität der Golzen ist aber bloß eine nachträgliche Feststellung, die ihr Wesen keineswegs erschöpft. Dieser Punkt sei mit einer Analogie verdeutlicht:

Was ist Rot? Eine Definition könnte in der genauen Beschreibung eines physikalischen Experiments zur Bestimmung der Wellenzahl des roten Lichts bestehen. Aber dabei bliebe die Frage, warum eine gewisse Frequenz des elektromagnetischen Feldes gerade „rot“ sein sollte, völlig ungeklärt. Als synthetische Empfindung transzendiert der Farbenbegriff seine physikalische Bestimmung.

Auch der Golz ist vor allem eine Empfindung, welche derjenige, der dafür ein Sensorium entwickelt, ebenso eindeutig identifiziert wie die Farbe Rot. Aber dazu genügt freilich keine abstrakte Definition, und wer nur an Konzessivsätze und Zwar-Relationen denkt, ahnt nicht, welch liebliches, verhextes Wesen der Golz ist.

Zur Erschließung des Golzenreichtums ist es nützlich, eine erste Klassifikation vorzunehmen. Wir unterscheiden vier Haupttypen: den Vergleichsgolz, den Übergangsgolz, den Zeitgolz, den Ersatzgolz, die wir nun der Reihe nach einzeln beschreiben.

1. Der Vergleichsgolz

Die golzische Wirkung des Vergleichs beruht auf der Ähnlichkeit. Der Vergleichsgolz ist eine Fast-Relation, die durch Wörter wie „beinahe“ , „kaum“ , „knapp“ charakterisiert werden kann.

Das geometrische Golzensymbol bezeichnet einen Vergleichsgolz mit dem Quadrat als Vergleichsobjekt. Andere einfache Beispiele sind die Zahl 9 und der Dreiviertelmond.

Von unwiderstehlicher Golzigkeit sind die Menschenaffen. Daß bei ihnen die Popularität mit ihrer Menschenähnlichkeit zunimmt, bestätigt die Hypothese, daß ihre Attraktion auf dem Vergleich beruht.

Der golzische Aspekt der Fugen von Wilhelm Friedemann Bach wurzelt in der Tatsache, daß man sie an der Fugenkunst Johann Sebastians mißt. Vielleicht hat auch das starke biographische Interesse für diesen begabtesten aller Bach-Söhne einen golzischen Ursprung.

Eine dramatische Rolle spielt der Vergleichsgolz im Phänomen des Risikos. Die Lust, möglichst stark zu biegen, ohne zu brechen, ist golzisch. Oder man denke an den Bergsteiger, der sich an den äußersten Rand der Zinne hinauswagt, oder an den Spekulanten, der sein Vermögen aufs Spiel setzt, um scharf am Ruin vorbeizugehen.

Als Umkehrung der Ähnlichkeit hat auch der Kontrast golzische Seiten. Wenn es draußen regnet und stürmt, genießt man die Wärme der geschützten Stube doppelt. Das Fast-Erlebnis beruht hier darauf, daß zwei Welten voneinander nur durch eine Fensterscheibe getrennt sind.

Es ist interessant, die Empfänglichkeit für diesen Golzentyp mit anderen Charaktermerkmalen zu korrelieren. So steht zum Beispiel fest, daß Führernaturen wenig Sinn für Vergleichsgolzen haben. Ihr unbedingtes Gipfelstreben verbietet ihnen jegliches Schwelgen in Fast-Relationen. Cäsar zog es bekanntlich vor, in einem abgelegenen Alpendorf erster, statt in Rom zweiter zu sein. Andererseits erübrigt es sich wohl, glaube ich, näher auf die Affinität des Vergleichsgolzen mit der Mentalität eines außerordentlichen Professors einzugehen.

2. Der Übergangsgolz

Der Übergangsgolz unterscheidet sich vom Vergleichsgolzen darin, daß er nicht vom Vergleich ähnlicher Dinge, sondern vom Grenzbereich unähnlicher Dinge her bestimmt wird. Was ihn kennzeichnet, ist nicht das *Fast*, sondern das *Zwi-*

schen. Sein emotionaler Gehalt besteht im Grenzerlebnis.

Rein quantitativ mag man an Erde und Mond als Gravitationszentren denken. Auf der Grenzfläche beider Gravitationsfelder herrscht ein labiles Gleichgewicht, und der konzessive Gehalt dieser Situation kann in den Satz gefaßt werden: „Hier wirst du zwar noch von der Erde angezogen; aber wenn du einen Schritt weitergehst, fällst du auf den Mond."

Der Liebhaber dieser Golzenart gleicht dem Seiltänzer, der seine Befriedigung im Balanceakt findet. Die Schwarzweißmalerei langweilt, die Grautöne faszinieren ihn. Seine Vorliebe gilt dem Monat November und den Zwielichtstunden. Der Sonne und dem Regen zieht er den Nebel, den Feldern und Seen die Sümpfe vor. Gerne hält er sich in der Bannmeile großer Städte auf, wo staubige Wiesen mit verstreuten Fabriklein alternieren, und tagelang stolpert er in den Moränen herum, wo sich Vegetation und ewiges Eis, Leben und Tod die Waage halten.

Es geht bei den Übergangsgolzen aber nicht einfach um das arithmetische Mittel zweier Quantitäten, und das *Zwischen* gibt ihre wahre Bedeutung deshalb nur unvollkommen wieder. Wer bloß Farben mischt und Kompromisse schließt, ist noch kein Golzenfreund.

Wirklich spannend wird die Sache nämlich erst, wenn sich die beiden Pole qualitativ unterscheiden. Die Übergangsgolzen befinden sich dann in jenem Grenzbereich, wo man „weder Fisch noch Vogel" oder beides zugleich ist.

Dies führt zu der aufregenden Frage, wie und wo Quantität in Qualität umschlägt. Die differentielle Veränderung ist zwar kontinuierlich, der Gesamteffekt jedoch diskret: Was anfangs Fisch war, ist jetzt Vogel. Wir stoßen damit ins Herz des Zenonischen Paradoxes vor. Irgendwo muß der Schnitt liegen, irgendwo findet der Quantensprung statt. In der Übergangszone kann man hin und her springen, dasselbe Ding mit verschiedenen Augen sehen. In dieser Ambivalenz liegt der Reiz der

Golzen.

Zum Schluß dieses Abschnitts ein Beispiel zur Illustration des Zenon-Paradoxes: Irgendwann muß doch die Antike ins Mittelalter übergegangen sein - aber ist die Vorstellung nicht golzisch, daß eine alte Römerin morgens wie üblich die Caracallathermen betritt, und wenn sie der Intendant mittags hinauskomplimentiert, ist das Mittelalter angebrochen . . .

3. Der Zeitgolz

Der Zeitgolz ist vielleicht der spannungsreichste Golz. Sein Merkmal ist das Wörtchen *noch*, dessen konzessive Wirkung durch ein vorangestelltes *zwar* verstärkt werden kann.

Das *Noch* ist ein entfernter Vetter des *Fast*, gewissermaßen dessen Übertragung in den Bereich des Zeitlichen. Wie der Vergleichsgolz von einem hypothetischen Vergleichsobjekt her bestimmt wird, bezieht der Zeitgolz seine Spannung von einer Zukunftsversion. Es ist spannend, wenn „noch die Tage der Rosen“ sind, weil man weiß, daß sie vergehen. Die hypothetische Endsituation ist freilich unerläßlich: Ein geschlossener Theatervorhang ist nur unter der Gewißheit aufregend, daß er sich öffnen wird.

Wer dieser Art von Golzen frönt, liebt die Stille vor dem Sturm, stopft sich vor einem unabwendbaren Ereignis mit absichtlicher Gemächlichkeit die Pfeife und hüllt sich mit um so größerem Genuß noch einmal in seine Decken, je unfreundlicher der ihn erwartende Wintermorgen ist. Wir betrachten nun einige Zeitgolzen einzeln.

Einem spezifischen Lustgewinn dient der bewußte Aufschub. Ob es sich beim Aufgeschobenen um ein Erhofftes oder ein Gefürchtetes handelt, ist jedoch in golzischer Hinsicht nebensächlich. Beim aufgeschobenen Vergnügen denkt man zum Beispiel an die langsame Enthüllung sorgfältig verpackter Weihnachtsgeschenke oder an den Leser von Kriminalromanen, der die letzten zehn Seiten bewußt für den nächsten Tag aufspart. Der Genuß beim allmählichen Aufdecken von Lotterie-Gewinnzahlen hängt aber nicht vom Erfolg ab, und ein schlagender Beweis, wie golzig der Aufschub auch noch dann empfunden werden kann, wenn die Erwartung negativ ist, findet sich in Tacitus' Bericht über den Tod des Dichters und Ästheten Petronius, der, vom Kaiser Nero zum Tode verurteilt, sich die Adern wiederholt geöffnet und wieder geschlossen hat, um sein Leben buchstäblich bis zum letzten Tropfen auszukosten.

Im Suspenz ist die Antizipation passiv, indem das erwartete Ereignis nicht aufgeschoben werden kann. Der positiven Erwartung entspricht hier die schöne Vorahnung: Es ist golzisch, im Nebel zu wandern, wenn man die Umrisse der Sonne ahnt. Golzisch ist aber auch das Phänomen des Dräuens. Ein unheimlicher Golz dieser Art ist das Schmurzeln des brennenden Hauses, dem man äußerlich noch nichts ansieht.

Einer dritten Kategorie von Zeitgolzen begegnet man in der Abgeschiedenheit römischer Ruinen. Die Verödung ist ein langsamer Prozeß und erzeugt deshalb keinen erregten Suspenz. Was wir fühlen, gleicht eher einer stillen Trauer über die Vergänglichkeit alles Irdischen. „Nur eine hohe Säule zeugt von verschwundner Pracht. Doch diese, schon geborsten, kann stürzen über Nacht."

4. Der Ersatzgolz

Der Ersatzgolz tritt dort in Erscheinung, wo ein erwartetes Phänomen durch ein anderes, unerwartetes ersetzt wird. Sein konzessiver Gehalt liegt in dem Wörtchen *anstatt*: Man erwartet zwar dies, aber statt dessen tritt jenes ein.

Die golzische Wirkung der Substitution ist vielschichtig. Sie reicht vom bewußten und unbewußten Widersinn einer verspielten Komik zum gezielten Ausdruck moralischer Entrüstung. Die tiefsinnigsten Substitutionen wurzeln in der Mehrdimensionalität aller menschlichen Bezüge. Während der Mangel an golzischer Einsicht den eindimensionalen Menschen erzeugt hat, der die Welt in antagonistische Lager spaltet, offenbart sich uns in der Substitution eine Welt des *Dritten*, Inkommensurablen, in der uns die Relativität aller Gegensatzpaare und die Stupidität aller Polarisationen bewußt wird. Die Ersatzgolzenlandschaft ist so reich, daß ich meine Beschreibung auf einige ausgewählte Sehenswürdigkeiten beschränken muß.

Eine offensichtliche Substitution ist die Maske. Golzisch wirkt diese aber nur, wenn sie weder entlarvt noch für bare Münze gehalten wird, sondern zwischen Trug und Wahrheit die Waage hält.

Der Maske verwandt ist die Tarnkappe. Sehen ohne gesehen zu werden ist golzisch. Die Tarnung braucht sich jedoch nicht auf uns selbst zu beziehen; denn golzisch ist auch, gesehen zu werden, ohne zu sehen. Die unsichtbare Präsenz einer allwissenden Behörde kann wie bei Kafka als bedrohlich empfunden werden; aber es gibt auch ein verwandtes, tröstendes Gefühl der Geborgenheit: Wo immer man sich aufhält, kann man sich mit Wilhelm Meister golzisch aufgehoben fühlen im Vertrauen darauf, daß nichts in der Welt verlorengeht.

Eine spezielle Art psychologischer Tarnung ist das Understatement. Es ist zum Beispiel golzisch, wenn jemand bei drückender Hitze bemerkt, es sei doch recht warm. In der Kunst des Understatements gibt es nationale Traditionen. Die britische snobistische Variante ist sowohl von preußischer Wortkargheit wie von der helvetischen Eigenart, sich „heimlichfeist“ zu geben, zu unterscheiden.

Es gibt einen golzischen Kult des Kleinen: Die Pflege des Schrebergärtchens ersetzt die harte Feldarbeit, das tägliche „Klein-klein“ das Leben. Die Golzigkeit des Kleinen beruht auf der Existenz des Großen. Der reizend verwilderte, blühende Garten Eichendorffs sprießt aus dem Trümmerhaufen der kühnen Wunderbilder eines „versonnten Reichs zu Füßen", und Horazens Bandusischer Quell bezieht seine Lauschigkeit von der weltpolitischen Bühne des Goldenen Zeitalters, der sich der Dichter durch mäzenatische Protektion enthoben fühlt.

Das Zwecklose und Funktionswidrige wirkt erst dort golzisch, wo (eigentlich) ein Zweck und eine Funktion zu erfüllen sind. Wie beim Schnörkel, der zerbrochen auf dem Trottoir liegt, anstatt das Kranzgesimse zu zieren.

Nebenschauplätze sind golzisch: die Motorpanne im abgelegenen Schwarzwalddorf, die Quarantäne im Luxushotel, der flugtechnisch bedingte Zwangsaufenthalt auf einer Mittelmeerinsel. Das Schöne dieser „Raum-Zeit-Löcher" beruht auf dem Bewußtsein ihrer Endlichkeit, Vorläufigkeit und Zwecklosigkeit. Man kann sie aber auch im Alltag immer wieder aufsuchen und liebevoll pflegen. Morgenzeitung im Boulevardcafé, stille Einkehr in die Kathedrale zur Mittagszeit und das häusliche Bad nach getaner Arbeit dienen nicht nur dem Auftanken von Information und Energie, sondern erfüllen einen golzischen Selbstzweck, der so verführerisch ist, daß die Haupttätigkeit zu einem bloßen Golzenrahmen absinkt. Das Leben setzt sich dann überhaupt nur noch aus intensiv empfundenen Nebensächlichkeiten zusammen.

Soviel hier zur allgemeinen Charakterisierung der vier golzischen Haupttypen.

Wir haben bereits auf den golzischen Aspekt der Fugen Wilhelm Friedemann Bachs als Beispiel für den Vergleichsgolzen hingewiesen. Tatsächlich findet man immer wieder gerade bei außerordentlichen Professoren eine Vorliebe für diesen Sohn Johann Sebastians, während die Brandenburgischen Konzerte dem Hausschatz des Ordinarius und Philipp Emanuel der Plattensammlung des Assistenzprofessors angehören.

Auf meine Bitte an den Berliner C-3-Professor für Musikologie, Professor Amadeus Adrian, mir für dieses Handbuch einige Gedanken zur musikwissenschaftlichen Fundierung der offensichtlichen Golzenaffinität der Extraordinarien mitzuteilen, erhielt ich die folgende briefliche Antwort (Auszug):

In der Musik offenbart sich die Idee der Golzen als formal-ästhetisches Prinzip. Die Analyse ihrer Strukturen ist deshalb für die Erforschung des rein formalen Gehaltes der von Marchand überzeugend isolierten Golzentypen besonders geeignet. Es ist dem dynamischen Charakter der Musik als in der Zeit sich entwickelnde Tonfolge angemessen, mit den Zeitgolzen zu beginnen.

Die musikalischen Zeitgolzen sind der Vorhalt und die Kadenz. Der Vorhalt kann ohne seine Auflösung überhaupt nicht definiert werden. Als unabhängiges Wesen existiert er nicht. Er dient allein der bewußten Verzögerung. Ähnliches gilt für die Kadenz, die sich historisch auf der Schlußdominanten aufbaut und ihren Spannungsgehalt von der erlösenden Schlußtonika bezieht. Das Bedürfnis, die zweitletzte Harmonie durch Ritardandi, Verzierungen und Orgelpunkte zeitlich auszudehnen bis zur virtuosen Solokadenz, kann meines Erachtens nur zeitgolzisch erklärt werden.

Der Trugschluß ist die Substitution einer erwarteten Harmonie durch eine fremde, unerwartete. Er ist deshalb ein Prototyp des Ersatzgolzes. Als Kunstgriff zur Erzeugung von dynamischer Spannung hat er in den Orgelwerken von Bach seine wirkungsvollste Verwendung gefunden. Die Synkope nun ist ein sogenannter „Quergolz", indem sie den Akzent auf die Nebensilben verlegt.

Die Modulation ist eine harmonische Sequenz, die den Übergang zwischen zwei verschiedenen Tonarten vermittelt. In jeder Modulation gibt es einen Zwischenbereich, in welchem die Tonarten nicht eindeutig bestimmt sind. In der Zwitterhaftigkeit der entsprechenden musikalischen Empfindung liegt der Grund für die faszinierende Wirkung besonders auf uns C-3-Professoren: die Wirkung des Übergangsgolzes. Ihre Apotheose erreicht die Modulation in Wagners Tristanouvertüre, wo die Grundtonart immer geahnt, aber bis zum Schluß nie realisiert wird. Auch die Enharmonik ist übergangsgolzisch; daher ihr fundamentaler Einfluß auf E. T. A. Hoffmann, einen zutiefst golzischen Dichter und Musiker. Schließlich finden wir den Vergleichsgolz in der Chromatik und der Schwebung oder im rhythmischen Bereich, z. B. die 2/3 und 3/4-Rhythmen bei Brahms.

Über die Bewußtheit, mit der die Musik konzessive Wirkungen anstrebt, kann also kein Zweifel bestehen. Ohne die Golzen als Technik zur Erzeugung und Aufrechterhaltung der Spannung ist die abendländische Musik schlicht undenkbar.

Im Jahre 1963 hat Helmut Heißenbüttel in der bisher nichtveröffentlichten siebten seiner Frankfurter Vorlesungen über Poetik „Das Golzische in der Literatur“ darauf hingewiesen, daß in der Dichtung neben die formal-ästhetische eine inhaltliche Komponente hinzutritt. Der Golz könne deshalb einerseits als formaler Kunstgriff, andererseits aber auch als wesentlicher Inhalt auftreten. Wir drucken hier erstmals die Kapitel 7.4 und 7.5 einer Frankfurter Vorlesungsmitschrift ab (Raubdruck):

7. 4 Der Golz als Kunstgriff - Sir Arthur Conan Doyle: Der Reiz der Sherlock-Holmes-Geschichten wurzelt wesentlich im Golzischen. Beginnen wir mit der Rahmensituation, dem Verhältnis der Freunde Holmes und Watson.

Die literarische Rolle Watsons ist mit der Rolle des Chors in der griechischen Tragödie vergleichbar. Der Chronist Watson tritt als erklärendes und beschwichtigendes Element zwischen den Leser und das kriminalistische Hauptgeschehen. Die Unerbittlichkeit der Handlung wird durch die Retrospektive der Chronik vom Leser abgerückt; sie filtert durch Watsons poetisches Auge. Die damit erzeugte Relativierung des Geschehens wirkt golzisch.

Die Handlung beginnt meistens damit, daß die beiden Freunde sich am Kaminfeuer über ausgefallene philosophische Themen unterhalten. Die Wohnung in der Baker Street hebt sich so als ruhender Pol in golzischer Behaglichkeit von der grimmigen Londoner Außenwelt ab.

An manchen Geschichten fällt auf, daß sie bewußt an gewissen bizarren, nebensächlichen Einzelheiten aufgehängt sind, wodurch die Aufmerksamkeit des Lesers systematisch vom Hauptgeschehen abgelenkt wird. Es gibt unzählige Nebenfiguren, wie zum Beispiel die pompös bürokratischen Detektive von Scotland Yard, deren sehr relative Kompetenz sich im Glanze von Holmes' angeborener Genialität echt golzisch ausnimmt, oder Sherlocks älteren Bruder Mycroft, der es vorzieht, im Diogenes-Club zu sitzen, anstatt seine außergewöhnlichen analytischen Fähigkeiten aktiv einzusetzen.

Aber auch die Verbrecherwelt hat ihre ambivalenten Gestalten. Man nehme etwa den Naturalisten Stapleton alias Vandeleur alias Roger Baskerville, der seine Schmetterlingssammlung dem Britischen Museum vermacht, oder den Mathematikprofessor Moriarty, dessen Genialität Holmes trotz allen Abscheus golzisch bewundert. (Es folgen einige Hinweise auf Benjamin und den Golz in der Kleinbürgerfamilie, unleserlich in unserem Ms.)

7. 5 Der Golz als Inhalt: Franz Kafka

Es gibt andererseits literarische Werke, in denen das Golzische wesentlich Inhalt wird. Ein Name drängt sich auf: Franz Kafka. Der Landvermesser K. wird auf das Schloß bestellt, kann dieses jedoch trotz seiner Anstrengungen nie erreichen und siedelt sich schließlich resigniert im Dorfe am Fuß des Schloßberges an. Dort heiratet er und wird Schulmeister. Sein Leben wäre in jeder Hinsicht alltäglich, wenn er nur vergessen könnte, daß er eigentlich auf das Schloß beordert ist. Im Blickwinkel dieser Berufung wird sein dörfliches Leben zu einem permanenten Provisorium. K. lebt zwar nicht schlecht; aber sein eigentliches Ziel erreicht er nicht. Franz Kafkas „Schloß“ hat das Dasein im Dorf, die Resignation ins Golzische zum Hauptinhalt.

Ähnlich verhält es sich mit Josef K. im „Prozeß“ . Auf der ersten Seite des Romans wird dieser verhaftet. Der Prozeß kann aber verschleppt werden, und sein Leben in der Haft ist ungewöhnlich frei. Josef K. darf ungehindert reisen, Frauen lieben, Geschäfte abschließen, und sein Leben ist nur deshalb so golzisch, weil er um seine Verhaftung weiß.

In beiden Romanen werden Geschehnisse geschildert, die so alltäglich sind, daß sie für sich kaum der Rede wert wären. Aber gerade diese Alltäglichkeit wird unheimlich und spannend, indem sie von einem Absoluten her ständig relativiert wird.

In den Golzen erkennen wir also einen wesentlichen Inhalt der Romane Kafkas, und der Unterschied zwischen dem „Schloß“ und dem „Prozeß“ liegt in K.s Einstellung zu den Golzen. Im „Schloß“ werden sie lustlos akzeptiert, während der Held im „Prozeß“ sie vehement verwirft und schließlich an seiner moralischen Auflehnung zerbricht.

Es war zu erwarten, daß sich über kurz oder lang auch die Psychologie der Golzen annehmen würde: Dies ist kürzlich auf einer Akademietagung ökumenischer C-2-/C-3-Professoren bei Osnabrück geschehen. Wir bringen hier drei Sektionsbeiträge aus der öffentlichen Diskussionsrunde „Welchem Bedürfnis entspricht der Golz?“:

Die Entbehrung

Die Golzen erfüllen kein elementares Bedürfnis. Denn selbst wenn der Säugling weiß, daß die Milch kommt, freut ihn das hungrige Warten nicht, und wer in der Wüste dem Verdursten nahe ist, findet im letzten Kilometer, der ihn von der Oase trennt, kein spezielles Vergnügen. Ergo, wo die Bedürfnisse allzudringlich sind, hat der Golz keinen Platz.

Andererseits blüht der Golz aber auch im Schlaraffenland nicht; denn wo jeder Wunsch prompt erfüllt wird, gibt es auch keine Vorfreude und keine Angst vor Verlust, und es besteht daher kein Grund zur konzessiven Beschränkung auf das schon Erworbene und das noch Besessene.

Golzenfreundlich ist also nur jener Zwischenbereich, wo Entbehrung herrscht, ohne unmittelbar lebensnotwendige Dinge zu betreffen, also zum Beispiel, wenn traditionelle Anstandsregeln gebieten, Wein und Braten noch stehenzulassen, bis der Gastgeber seine Ansprache beendet hat.

Der Alltag beschert uns mit unzähligen kleinen Aufschüben, und schon das Kind lernt, diese nicht nur mit Geduld, sondern auch mit Golzen zu überbrücken.

Die Frustration

Eine Entbehrung besonderer Art auferlegt uns der Mitmensch. Wir möchten universell geliebt und anerkannt werden, aber Liebe und Anerkennung haben Grenzen. Es handelt sich also um die Relativität unserer sozialen Stellung: Wir müssen uns mit der Tatsache abfinden, daß wir irgendwo auf dem Weg zu unseren gesellschaftlichen Zielen steckenbleiben.

Einige wenige werden heroisch sein, jeden Kompromiß verschmähend nach dem Absoluten streben und an dieser Ambition zerbrechen wie Josef K. und La Fontaines Eiche. Andere vergessen das Absolute wie Huxleys Somaschlucker. In diesen beiden Extremfällen ist man ungolzisch. Golzisch ist hingegen derjenige, der, den absoluten Maßstab im Auge behaltend, sich im Relativen sonnt. Daß diese letzte Variante allgemein die übliche ist, beweisen die gravitätischen Gesichter unserer Mitbürger an den Stammtischen. Sie alle vermögen aus dem Bewußtsein der eigenen Wenigkeit einen nicht unbeträchtlichen Lustgewinn zu ziehen, und den meisten unter uns gelingt in der golzischen Beschränkung auf das bereits Erreichte eine mehr oder weniger schmerzlose Sublimierung unserer sozialen Frustration.

In diesem Licht erscheinen die landesüblichen Höflichkeitsformen als ein ausgeklügeltes Instrument gegenseitiger Abschirmung in einem Kollektiv wechselwirkender Golzen.

Die Furcht

Viele Golzen entstehen auch durch die Sublimierung einer Furcht.

Man denkt an die lustbetonte Bangigkeit bei Patienten am Vorabend einer Operation, an die Freundschaftlichkeit eines harmlosen Kartenspiels in den Schützengräben der Maginot-Linie und an die galgengolzische Lust des Henkermahls.

So gesehen, wird es niemand dem Vogel Strauß verargen, daß er den Kopf in den Sand steckt, um seine letzte Minute golzisch auszukosten, da er sich ja doch nicht wehren kann. Leider wird die Vogel-Strauß-Politik aber auch dort angewendet, wo noch Alternativen bestehen. Es gibt nämlich so etwas wie eine golzische Taktik der Kapitulation: einfach fallenlassen, alle viere wegstrecken und hoffen, daß einen der Sabinische Wolf nicht frißt, weil man harmlos ist. Ein solcher Mensch glaubt, wie Epikur im verborgenen leben zu können, um im Strudel der Welt sein Privatgärtchen zu pflegen, den gewohnten Alltagsfreuden zu frönen und das Haus zu bestellen, als hätten sich die Brandstifter nicht bereits im Dachboden einquartiert.

Wir sind am Ende unserer Beschreibung der Weltanschauung des C-2-/C-3-Professors angelangt. Im Verlaufe dieser Seiten haben wir gesehen, daß die Golzen weit über das universitäre Professorendasein hinaus das Leben jedes Menschen, der sich seiner Begrenztheit bewußt ist, durchdringen.

Sub specie mortis wird nicht nur die letzte Stunde wie

beim Henkersmahl, sondern das ganze Leben zu einem Golz. Mit dem Tod als Bezugspunkt erfährt es eine dringliche Einmaligkeit und Endgültigkeit, die den philosophischen Golzenfreund in eine Euphorie versetzt, die ihn nicht mehr verläßt.

Die C-2-/C-3-Hymne:
Ein Extraordinarius
sich auch noch manches schenken muß,
den großen Titel hat er zwar,
zuweilen auch ein Fixum gar!
200 Taler sind es meist,
nach Höhrem eifrig strebt sein Geist.
Drum, daß er nicht zu üppig sei,
trägt er zur Witwenkasse bei;
aus Ärger drum zum Traualtar
führt er die einst ihm Köchin war!

Lucian Müller

3. DAS WESEN DES ZEPHIR (C-4)

Man sagt von Gott: „Namen nennen Dich nicht." Das gilt von Mir: kein Begriff drückt mich aus, nichts, was man als mein Wesen angibt, erschöpft Mich; es sind nur Namen. Gleichfalls sagt man von Gott, er sei vollkommen und habe keinen Beruf, nach Vollkommenheit zu streben. Auch das allein gilt von mir.

Max Stirner, Der Einzige und sein Eigentum (1845), S. 378

Es ist fast unmöglich, über die allgemeinen Bemerkungen der horazischen Charakterisierung hinaus über Wesen und Welt des Zephir konkrete Angaben zu machen, die einerseits konsistent sind mit unserer Grundannahme, daß der Ordinarius insbesondere ein *individuum ineffabile* sei, und die auf der anderen Seite dennoch, wenngleich nicht die Essenz, so doch hinreichend viele Akzidenzien beiträgt, um sein Sein wenigstens pointilistisch zu approximieren. So mag es denn zutreffen, daß, je näher man einem Zephir tritt, er sich um so mehr in viele kleine Eigenschaften auflöst, während seine wahre Einheit und Gestalt eben nur aus der Ferne recht erkannt, gewürdigt und bewundert werden könne.

Horazens Aussage, er sei „noch auf die Vermehrung seiner Güter aus“, klingt auch nur aus der Nähe betrachtet kritisch, ja negativ; sub specie aeternitatis dagegen ist sie eine Modulation des Goetheschen Themas „Nur die Lumpe sind bescheiden“ oder in Ovidscher Abwandlung: „Nur der Arme zählt sein Vieh“ (Pauperis est numerare pecus: Met. 13, 823-4).

Ob nun hiermit Studenten oder wissenschaftliche Arbeiten („papers“) gemeint sind, bleibt unerheblich:

> Weil papers er in Menge hatte,
> lag er meist in der Hängematte

ist ein bekannter, schon von Freud (etwas abweichend) angeführter Schüttelreim.

Von einer ähnlich souveränen Haltung gegenüber der Vermehrung weltlicher versus wissenschaftlicher Güter zeugt der seit Senecas 17. Brief an Lucilius immer wieder von Ordinarien gern zitierte Ausspruch:

> Noch habe ich nicht soviel, daß es genug ist;
> wenn ich zu jener Summe gekommen bin, dann
> werde ich mich ganz der Philosophie widmen.

Selbst Lichtenberg erinnert sich erst spät als Professor ordinarius daran, sein „bißchen Witz aufs Profitchen zu stekken“, als er nämlich einsieht: „Kohlen sind noch da, aber keine Flamme.“

Wenn sich die Philosophie des Assistenzprofessors um den gespitzten Bleistift als das kreative Instrument und phallische

Symbol der Wollust und des Ehrgeizes konzentriert und wenn der Leser mit uns übereinstimmt, daß der konzessive Golz die Weltanschauung des C-2-/C-3-Professors markiert, was, so müssen wir fragen, ist dann das Symbol des Ordinarius? Kurzes Nachdenken zeigt, es muß das Mandala sein, „Mandala" = sanskrit für „Kreis", und von C. G. Jung schon als zentrales Symbol für den Archetypus des Selbst, der Vollkommenheit und Ganzheit, als Ziel aller Individuation eingeführt. Rund wie das Mandala sind ja auch die Münze, der Taler, das Goldstück.

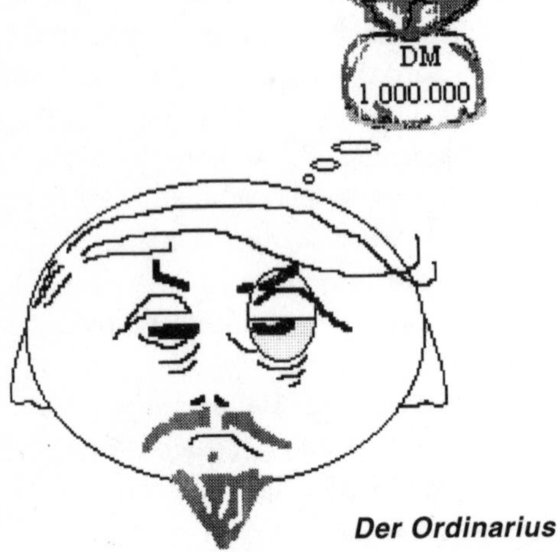

Der Ordinarius

Um nun dieses globale Rundbild durch die lokalen und differenzierenden Akzidenzien auszufüllen, die den Ordinarius gegenüber seinen Kollegen in den C-1-, C-2-, C-3-Rängen als besondere Spezies auszeichnen, bedienen wir uns eines Eigenschaftskatalogs, den Nietzsche 1874 in seinen „Unzeitgemäßen Betrachtungen" bei einer ähnlichen Untersuchung des deutschen Gelehrten aufgestellt und kommentiert hat. Eigentum verpflichtet, Eigentümlichkeiten aber auch.

In diesem Sinne seien da erstens „Biederkeit und Sinn für das Einfache sehr hoch zu schätzen, wenn sie mehr sind als

Ungelenkigkeit und Ungeübtheit in der Verstellung, zu welcher ja einiger Witz gehört". Hierher rührt die weitverbreitete Abneigung gerade des Zephir gegen die neuere Literatur seit Borges und der Musik seit Bartók und, umgekehrt, seine ausgesprochene Nähe und Hinneigung zur Klassik einerseits (Krönungsmesse KV317, Jupiter-Symphonie KV 551, die Sinfonia Eroica, von der an anderer Stelle die Rede sein wird) und zu feschen Kurkonzertstücken aus Blankenese andererseits, inklusive lockerer U-Musik wie Schnuckenack Reinhards „Sweet Georgia Brown".

Zweitens „Scharfsichtigkeit in der Nähe, verbunden mit großer Myopie für die Ferne und das Allgemeine. Sein Gesichtsfeld ist gewöhnlich sehr klein, und die Augen müssen dicht an den Gegenstand herangehalten werden." Diese Eigenschaft der überspezialisierten Kurzsichtigkeit darf man heute, mehr als hundert Jahre nach Nietzsche, im Zeitalter des Holismus und der Gärten des Menschlichen, dem Ordinarius vielleicht am wenigsten vorwerfen. Bummelböhm ging einmal sogar so weit zu behaupten, vor lauter Ganzheit, Totalität, Einheit, Synthese und diachroner sowie synchroner Synopsis sehe der Ordinarius vor lauter Wald die Bäume nicht mehr.

Drittens „Nüchternheit und Gewöhnlichkeit seiner Natur in Neigungen und Abneigungen". Als eine von Luther über Knatschke bis Heidegger dem deutschen Professor nachgerühmte Vorliebe für das Einfache - z. B. wider die bunten Ausschweifungen des Verstandes, des Franzosentums in der Liebe und wider die Kompliziertheit von Sprache und Welt abseits der Holzwege - haben sich Nüchternheit und Gewöhnlichkeit unter dem Epithet der Monogamie im allgemeinen und der Missionarsposition im besonderen in der Welt Respekt und Kopfschütteln verschafft.

Dem hiermit doch wohl nahegelegten Mangel an Phantasie verwandt ist Nietzsches vierter Punkt: „Armut an Gefühl und Trockenheit. Sie befähigt ihn selbst zu Vivisectionen. Er ahnt das Leiden nicht, das manche Erkenntnis mit sich führt, und füchtet sich deshalb auf Gebieten nicht, wo Andern das Herz schaudert." Jene Armut des Gefühls spiegelt sich exakt in der Armut der wissenschaftlichen Fachsprache wider, die, etwa in Journalen, nur ein uneigentliches Leben zwischen Symbolketten oder Hölderlin-Zitaten spielt. Und wer hat je vom Erkenntnisleiden gehört, oder Wissensdurst so interpretiert, als meine es jenes Mangelgefühl, das einsetzt, unmittelbar nachdem man etwas dazugelernt hat? Naturwissenschaftler befreien sich von zeitweiligen Anfällen des Erkenntnisleidens durch Hinweise auf den Fall Oppenheimer und den Besuch der Dürrenmattschen „Physiker"; denn seit der Erfindung der berühmten Katharsis-Therapie der Griechen reinigt nichts so sehr wie das Leiden anderer. Auch macht ja das reine Betrachten eines Seiltanzaktes nicht schwindelig.

Was die Vivisektionen angeht, so sind selbst hier die Medizinprofessoren vor wirklichen Eröffnungen und Einsichten in das allzumenschliche Innere gefeit, da, wie Lichtenberg zuerst gesehen hat, die Leichenöffnungen diejenigen Fehler nicht entdecken können, die mit dem Tode aufhören.

Nietzsches fünfte Eigenschaft: Bescheidenheit wird allgemein von deutschen Beamten ausgesagt und bei Tarifverhandlungen gepriesen. Auf sechstens „Treue gegen ihre Lehrer und Führer" konnte der gelegentliche Besucher unzerstörter Professorenbüros Anfang der fünfziger Jahre schließen, wenn ihn die Phantasie angesichts der rechteckigen, weißen Leerstellen unter alten Stiftsnägeln nicht im Stiche ließ.

Während man siebtens dem Gelehrten Fleiß zuschreibt und, achtens, sich dieser vornehmlich im Lesen von Büchern niederschlägt, „wo er selbst in Betrachtung gezogen wird" , so darf, neuntens, „das Motiv des Broderwerbs, also im Grunde die berühmten ‚Borborygmen eines leidenden Magens'", nicht aus den Augen gelassen werden. Es ist zwar wahr, daß schon das Studium als *gagne-pain* von Fichte bis Schopenhauer als nieder empfunden wurde; aber um wieviel verachtenswürdiger war erst der gehaltsempfangende Professor, der kein Schloß in Tegel hatte! Doch schon Nietzsche sieht ein: „Der Wahrheit wird gedient, wenn sie im Stande ist, zu Gehalten und höheren Stellungen direkt zu befördern...

Aber auch nur *dieser* Wahrheit wird gedient: weshalb sich eine Grenze zwischen den ersprießlichen Wahrheiten, denen viele dienen, und den unersprießlichen Wahrheiten ziehen läßt: welchen letzteren nur die wenigsten sich hingeben, bei denen es nicht heißt: ingenii largitur venter."

Die zehnte Eigenschaft, „Achtung vor dem Mitgelehrten, Furcht vor ihrer Mißachtung", haben wir bei Gelegenheit der Rezensionsarbeiten schon angesprochen.

Bleibt elftens der „Gelehrte aus Eitelkeit", der sich kuriose Gegenstände in obskuren Disziplinen als seine Nischenwissenschaft auswählt, welche er allein beackern und beurteilen kann. Vertreter solcher Orchideenfächer gleichen selbst oft kostbaren Blumen, als die sie sich auch gern bestaunen und bezahlen lassen

Unter Mathematikern, Theologen, Philologen und Juristen, nicht aber bei Zahnmedizinern und Professoren der Ökonomie, findet sich zwölftens noch „der Gelehrte aus Spieltrieb. Seine Ergötzlichkeit besteht darin, Knötchen in den Wissenschaften zu suchen und sie zu lösen; wobei er sich nicht zu sehr anstrengen mag, um das Gefühl des Spiels nicht zu verlieren. Deshalb dringt er nicht gerade in die Tiefe, doch nimmt er oft etwas wahr, was der Brodgelehrte mit dem mühsam kriechenden Auge nie sieht."

Will man zu einem tieferen Verständnis des Ordinarius kommen, so muß man, glaube ich, das Zephir-Individuum nun doch nach den vier traditionellen Fakultäten weiter aufteilen. Folglich wären zunächst C-4-Professoren der drei oberen Fakultäten Theologie, Jura, Medizin und dann solche der vierten „artistischen", d. h. philosophischen Fakultät zu unterscheiden. Eine derartige differenzierte Typenanalyse steht uns in J. B. Menckens zweiter Vorlesung der „Charlataneria Eruditorum“ (1715) in unübertroffener Manier zur Verfügung. Leibniz nannte diese Charakterisierung in einem Brief vom 15. Dezember 1715 an Mencken sogar „elegantissime“.

Es kann dem aufmerksamen und belesenen Kenner nicht entgangen sein, daß dieser Professor Mencken für den Autor dieses Handbuchs stetes Vorbild an Erudition und in der Befolgung des horazischen Mottos: Ridendo dicere verum quid vetat? war: Warum denn nicht lachend die Wahrheit sagen?

Ich glaube also, auf eine nähere Charakterisierung des Theologieprofessors und des Rechtsgelehrten verzichten zu dürfen. Die Professoren der Medizin einerseits und, als Vertreter der Artistenfakultär, der Philologe und der Professor der Mathematik schienen dagegen einer neueren Betrachtung wert: Quod vide infra.

4. SPEZIELLE WESEN

DER PROFESSOR DER MEDIZIN

Der Arzt, der auch Philosoph ist,
ist den Göttern gleich.

Hippokrates

Mit der Philosophie und Juristerei teilt die Medizin das Schicksal, einen Gelehrten zwar möglicherweise weiser bzw. wohlhabender, nicht aber klüger zu machen: „. . . und bin so klug als wie zuvor“ ist der bekannteste Ausdruck dieser Misere.

Wenngleich Ärzte seit Robert Koch, Virchow und Sauerbruch so gar nichts Faustisches mehr an sich haben, leiten sie sich doch gern, einem stolzen Adelsgeschlechte ähnlich, aus großer, göttlicher Vergangenheit ab. Typischerweise war es

Asklepios oder Äskulap, den sich die Professoren der Medizin zum Ahnherrn wählten. Diese mythologische Gestalt, die die Schlange als Allegorie der Falschheit im Wappen führt, gab sich zunächst auch nur als thessalonischer Fürst und medizinischer Doktor aus, bevor er später von ahnungslosen Laien und hoffnungsvollen Kranken zum Sohn des Apoll und der Koronis erhoben wurde, um schließlich durch Fremdpropaganda sowie Eigenlob die Titel „Gott der Heilkunst" und „Halbgott in Weiß" zu erhalten.

Wie sich gewisse Krankheiten vererben ins nächste Glied und Götterkinder wieder göttlich sind, so pflanzt sich auch der Arztberuf gern von einer Generation zur anderen fort. Schon Äskulaps Söhne Machaon und Podaleirios wurden wieder Doktoren, und sie spielten sogar eine kleine Rolle als Feldärzte vor Troja in Homers „Ilias". Auch des Paracelsus Vater war Arzt, und man sehe nur einmal durch die Mitgliederlisten der Lion- oder Rotary-Clubs!

Exponiert und immer schon zwischen Pathologie und Patachemie, Scharlatanerie und Charade, Homöopathie und Homoousia lavierend, waren die Professoren der Medizin seit alters umstritten. Bereits im Elften Buch der „Ilias" verleiht Paris seiner spitzen Kritik Ausdruck, indem er ein scharfes Wurfgeschoß dem eben genannten Dr. Machaon in die ungedeckte rechte Schulter schießt.

Nicht weniger deutlich sind die Worte des Erasmus von Rotterdam:

> Der Arzt allein nimmt es nach einem Worte Homers mit vielen anderen auf. Doch je weniger Bildung einer von diesen hat, je dreister und unüberlegter er verfährt, um so höher ist sein Ansehen in der vornehmen Welt. Denn die Heilkunde, zumal wie sie heute von der Mehrzahl ausgeübt wird, ist nichts anderes als eine Art Liebedienerei... Bedarf es noch eines Wortes über die

> Professoren . . . ? Deren Eigenliebe ist ja allgemein so stark, daß man eher einen findet, der sein väterliches Gut als seinen Anspruch auf Geist aufgibt.
>
> Lob der Torheit (Ausgabe Reclam), S. 41

Erasmus, der unter der „tartarischen Krankheit" litt, die heute unter die „harnsaure Diathese" fällt, konsultierte den seinerzeit ebenso berühmten wie berüchtigten Theophrastus Bombast von Hohenheim aus Einsiedeln, beider Medizin Doktor und Professor in Basel, bekannter als der Alchimist Paracelsus:

> . . . In den gegenwärtigen Tagen habe ich nicht Zeit zu einer Kur, nicht einmal zum Kranksein oder zum Sterben, so tief sitze ich in meinen Studien drin. Doch wenn Du etwas hast, was mir mein Leiden lindern könnte außer der körperlichen Auflösung, bitte ich, es mir mitzuteilen. Ist dies nicht tunlich, bitte ich Dich, daß Du das, was Du allzu kurz nur angedeutet hast, in aller Kürze klar legst und Arznei verschreibst, die ich, sobald ich Zeit finde, gebrauchen will. Ich kann Dir keine Entlohnung versprechen, die Deiner Kunst gleich käme, dankbare Gesinnung aber verspreche ich Dir. Den Frobenius hast Du aus der Hölle wieder heraufgeholt, das ist die Hälfte meiner selbst. Wenn Du auch mich wieder in die Reihe bringst, wirst Du uns beide miteinander wieder herstellen. Möge das Geschick Dich hier in Basel festhalten. Dies in der Eile Hingeworfene hätte ich gerne, daß Du's lesen kannst. Lebe wohl.
>
> Erasmus von Rotterdam, eigenhändig, zitiert nach „Paracelsus", in Selbstzeugnissen und Bilddokumenten, von Ernst Kaiser, Reinbek 1969, S. 84

Paracelsus war sicherlich eine ärztliche Ausnahmeerscheinung: Im Verhältnis zu Klinikdirektoren und Chefärzten unserer Zeit bescheiden, beschlagen und belesen, machte er nie ein Hehl aus der schon Aristoteles bekannten Tatsache, daß die Medizin keine Wissenschaft (episteme), sondern eine Kunstfertigkeit (techne) wie das Schusterhandwerk und die Wahrsagerei sei.

Das Kernstück der Humoralpathologie ist, nach Dr. med. Hiob Prätorius, immer noch der Humor und nicht der Bierernst. Was der alte Cato von den Wahrsagern sagt, trifft auch auf die Ärzte zu: „Möcht' bloß wissen, warum sie nicht lachen, wenn sie einander begegnen." Lachen ist die beste Medizin - so will es wenigstens der Volksmund wissen.

Trotzdem sind approbierte Ärzte nicht ganz ohne Methode. Da ist zum Beispiel der folgende Dreisatz:

Si vis sanari de morbo nescio quali,
Accipias herbam, sed quam vel nescio qualem,
Ponas nescio quo, sanabere nescio quando.

(Wenn du von einer, ich weiß nicht, welcher, Krankheit geheilt werden willst, nimm dieses Kräuterchen - ich weiß nicht, welches -, wende es an, wo, weiß ich nicht, und du wirst, ich weiß nicht, wann, gesund werden.)

Ähnlich definiert Molière den Arzt und Professor der Medizin als einen, der dem Kranken angenehme Geschichten erzählt, bis die Natur ihn heilt - oder die Medizin ihn tötet. Dieser Gedanke, der ursprünglich bereits in des Hippokrates' Motto „Ars longa, vita brevis" enthalten ist, kehrt in der einschlägigen Literatur immer wieder auf:

Kranke gesund machen! Bravo! Das macht viel Spaß, solange sie nicht daran sterben, sagt Dr. med. Hiob Prätorius auf der Seite 730 in Curt Goetz' „Gesammelten Bühnenwerken", Berlin 1952.

Man weiß, daß viele Ideen des Paracelsus in die Gestalt des Goetheschen Dr. Faustus eingeflossen sind, Vorstellungen vom Zusammenwirken des Makro- mit dem Mikrokosmos („die groß' und kleine Welt") zum Beispiel, aber auch christliche Heilbegriffe wie der „kairos" („Doch der den Augenblick ergreift"), wie ferner ebenfalls holistische Prinzipien von der Einheit der Natur („Aus *einem* Punkte zu kurieren"). Diese Gedanken hat Goethe, durch die berufenen Worte des Mephistopheles, in der Studierzimmer-Szene des „Faust I" in einer Anleitung zum Studium der Medizin zusammengefaßt:

Schüler:
Wollt Ihr mir von der Medizin
Nicht auch ein kräftig Wörtchen sagen?
Mephistopheles: . . .
Der Geist der Medizin ist leicht zu fassen;
Ihr durchstudiert die groß' und kleine Welt ,
Um es am Ende gehn zu lassen,
Wie's Gott gefällt.
Vergebens, daß Ihr ringsum wissenschaftlich schweift,
Ein jeder lernt nur, was er lernen kann;
Doch der den Augenblick ergreift.
Das ist der rechte Mann.
Ihr seid noch ziemlich wohl gebaut,
An Kühnheit wird's Euch auch nicht fehlen,
Und wenn Ihr Euch nur selbst vertraut,
Vertrauen Euch die andern Seelen.
Besonders lernt die Weiber führen;
Es ist ihr ewig Weh und Ach
So tausendfach
Aus *einem* Punkte zu kurieren,
Und wenn Ihr halbwegs ehrbar tut,
Dann habt Ihr sie all' unterm Hut. Ein Titel muß sie erst vertraulich machen,
Das Eure Kunst viel Künste übersteigt;
Zum Willkomm tappt Ihr dann nach allen Siebensachen,

Um die ein andrer viele Jahre streicht,
Versteht das Pülschen wohl zu drücken,
Und fasset sie, mit feurig schlauen Blicken,
Wohl um die schlanke Hüfte frei,
Zu sehn, wie fest geschnürt sie sei.

Schüler:
Das sieht schon besser aus! Man sieht doch, wo und wie.

Mephistopheles:
Grau, teurer Freund, ist alle Theorie,
Und grün des Lebens goldner Baum.

DER PROFESSOR DER MATHEMATIK

Die Mathematik ist eine gar herrliche Wissenschaft, aber die Mathematiker taugen oft den Henker nicht.

G. Chr. Lichtenberg

In Hinsicht auf Theorie und Praxis hat jeder Mathematikprofessor etwas Päpstliches: Beide reden vom Unendlichen und Transzendenten, von Wahrheit und Unfehlbarkeit, von Genauigkeit und Seele also; aber in der Berufspraxis haben sie doch endliche Ziele, reisen sie beide gern zu Kongressen in aller Welt, wo die Wahrheit nicht gesucht, sondern nur noch verteidigt werden muß, und wo Genauigkeit und Seele sich darin äußern, daß ein Knoten im Axiomensystem dank einer glücklichen Definition wieder einmal besonders glatt aufgeht. Religion und Mathematik werden gern als ein „helles Netz leuchtender Wirklichkeit“ (H. Broch) beschrieben, und hier wie dort ist das Sündige das Unberechenbare.

Als Bummelböhm einmal angesichts einer langen Symbolreihe zu seiner Theorie transinfiniter Zahlen gefragt wurde, was seine Rechnungen ergeben haben, antwortete er: Er rechne nicht, er bete schriftlich, und wie im Gebet erwarte er nicht ein Ergebnis, sondern Zuspruch, Halt und Selbstvertrauen. „Andererseits“ , fügte er hinzu, „hat ja auch alles Beten etwas Berechnendes. Beten ist denn auch oft als die Betrachtung des Endlichen vom Standpunkt des Unendlichen, des Glaubens nämlich, angesehen worden, während die Mathematik wohl als die Untersuchung des Unendlichen vom Standpunkt des Endlichen, eben des Beweises, bezeichnet wird.“

Hermann Broch, wie Musil und Bummelböhm selbst mathematisch ausgebildet, hat im Jahre 1913, zwanzig Jahre vor seinem Mathematiker-Roman „Die unbekannte Größe“, ein Sonett mit dem Titel „Mathematisches Mysterium“ veröffentlicht:

Gemessen tut sich Unbewußtes auf
Und im Unendlichen entschwebt die Welt.
Ich fühle, wie sich Urteil fällt;
Erstaunend folg’ ich seinem Lauf.

Auf einsamen Begriff gestellt
Ragt ein Gebäude steil hinauf:
Und fügt sich an den Sternenhauf
Von ferner Göttlichkeit durchhellt.

Gebunden muß das Ich erkennen,
Daß es die Wahrheit in der Form nur hält
Und mag an dieser kalten Flamme wohl verbrennen.

Doch sind der Form Erscheinungen auch ungezählt,
Nichts kann sie von der Einheit trennen.
In tiefster Tief’ erscheint: durchsonnt die Welt.

Seite 10 im Band 10 der Gesammelten Werke, Zürich 1961

Während Goethe den Mathematiker gern mit dem Franzosen vergleicht: beide sind als erstklassige Liebhaber bekannt, präzis, witzig, erfindungsreich, bevorzugt Musil ein zynischeres Analogon zur Umschreibung seiner Tätigkeit:

> In anderer Hinsicht wieder vollzieht sich die Lösung einer geistigen Aufgabe nicht viel anders, wie wenn ein Hund, der einen Stock im Maul trägt, durch eine schmale Tür will; er dreht dann den Kopf solange links und rechts, bis der Stock hindurchrutscht, und ganz ähnlich tun wir's, bloß mit dem Unterschied, daß wir nicht ganz wahllos darauflos versuchen, sondern schon durch Erfahrung ungefähr wissen, wie man's zu machen hat.

Der Mann ohne Eigenschaften, im Kapitel 28, „das jeder überschlagen kann, der von der Beschäftigung mit Gedanken keine besondere Meinung hat"

Hinter diesem ironisch-leichten Ton verbirgt sich ein tieferes Engagement des Autors und seines Helden Ulrich, der ja immerhin durch die Mathematik ein bedeutender Mann werden wollte: „Die Genauigkeit, Kraft und Sicherheit dieses (sc. logisch-mathematischen) Denkens, die nirgends im Leben ihresgleichen hat, erfüllte ihn fast mit Schwermut." Im ganzen langen Buch wird die Synthese eines exakten Lebens gesucht, die doch da irgendwo zwischen Mathematik und Mystik liegen muß.

Kaum je hat ein Mathematikprofessor diese Stelle gefunden. Hermann Brochs Ordinarius Weitprecht ist am Ende krank, enttäuscht, verzweifelt, wie er seinem frisch promovierten Assistenten Dr. Hieck gesteht:

> Lassen Sie nicht ab in Ihrem Streben nach wissenschaftlicher Erkenntnis . . . auch sie ist heilig . . . doch es ist die Heiligkeit des Lebens, und der Tod wird darüber vergessen . . . hören Sie, die Heiligkeit des Todes . . . wer an der wissenschaftlichen Erkenntnis arbeitet,

> arbeitet mit siebzig genau so wie er mit dreißig gearbeitet hat . . . und schließlich wird er gefällt, mittendrin gefällt, aber an keinem Ende, weil er seines eigenen Todes vergessen hat . . . ein böser Mensch mit einem bösen Herzen . . . ja, ja, lieber Freund, mit einem bösen Herzen, das im Namen der Erkenntnis viel Unrecht geübt hat.
>
> a.a.0., S.151

Heinrich Schirmbeck hat ganz bewußt den Faden bei Pascal und Musil wieder aufgenommen. „Mathematik und Mystik" ist seine kurze Autorenbiographie in „Welt und Wort", 12 (1957), S. 302, überschrieben. Auch sein Wissenschaftler Thomas Grey in „Ärgert dich dein rechtes Auge", Darmstadt 1957, scheitert. Wiederholt, in „Der junge Leutnant Nicolai" (1958) und in vielen Rundfunksendungen und Erzählungen, versucht Schirmbeck Themen aus dem Umkreis des Oppenheimer-Syndroms dichterisch zu gestalten: Wissenschaftler und Mensch, Erkenntnis und Verantwortung - wie geht das zusammen? Genauigkeit und Seele, wo liegt die stabile Mitte?

Ach, und wie so oft in ehrgeizigen Dichtungen, tragen die menschlichen Protagonisten auch bei Schirmbeck schwer an ihren Ideen, kaum lugen sie drunter hervor. „Es ist leider" schreibt diesbezüglich, der größere Meister Musil ebenda, „in der schönen Literatur nichts so schwer wiederzugeben wie ein denkender Mensch." In der Tat. Und den Mathematikprofessor selbst nach der Mitte seines Lebens zu fragen? - ist vergebens; denn als abstrakter Denker ist er, in Kretschmers Terminologie, ein schizothymer Typ: feinsinnig und weltfremd, kühl, wortkarg und in der Mehrzahl leptosom - während interessanterweise der Pykniker der bessere Rechner ist! (Siehe E. Kretschmer, Körperbau und Charakter, 26. Aufl., Springer 1977, S. 312 f.) Deshalb sprechen Mathematiker von ihrem Sujet auch nur entweder zynisch und läppisch oder vertieft und einschlägig fachmännisch.

Bummelböhm war einer der wenigen, der sich unkonventionelle Gedanken machte:

> Seit Pythagoras stand die Zahl im Mittelpunkt der Mathematik, aber der Sündenfall kündigte sich schon in seiner Schule an: die irrationale Zahl. Nur dieser Schlange am Busen der ganzen Zahlen ist es zu danken, daß Philosophen wie Plato von einem falschen Schein der Tiefe angezogen wurden . . . Erst Frege hat uns wieder auf den rechten Weg zurückgebracht . . . Zahlen, natürliche Zahlen, sind die Seele der Mathematik. Seine Begriffsschrift ist reine Religion, Cantors naive Mengenlehre angewandte Metaphysik. Wittgensteins Philosophie der Elementarmathematik mit Einbrüchen des Unendlichen hier und da war auf dem richtigen Weg. Durch Päpste wie Hilbert und Bourbaki wurde diese rohe Mystik gekocht und fein säuberlich in Systemhappen servierbar . . . Nur vereinzelt bricht die anarchistische Seele wieder hervor: bei Gödel, in der erfrischenden Trivialität des bits beim Computer, bei meinen transinfiniten Zahlen: die sind so groß, daß die Paradoxien von Russell und Burali-Forti mühelos umgangen werden . . . Die Mitte aber des Lebens liegt zwischen dem Endlichen und dem Unendlichen, wie der Schinken zwischen zwei Weißbrotscheiben . . .

Statt dessen lernen die Studenten Differential- und Integralrechnung, unglückselige Derivate der irrationalen Zahlen . . .

Wir trauen uns kein Urteil zu. Und im übrigen: „Auf die Darstellung einer Tätigkeit im Bewußtsein derer, die diese ausüben, ist . . . nicht viel zu geben." (Musil, a.a.0., S. 301)

DER PHILOLOGE

Gelahrter:
Die Gegenwart verführt ins Übertriebene,
Ich halt mich vor allem ans Geschriebne.
Faust II

Denn eben wo Begriffe fehlen,
Da stellt ein Wort zur rechten Zeit sich ein.
Mit Worten läßt sich trefflich streiten,
Mit Worten ein System bereiten,
An Worte läßt sich trefflich glauben,
Von einem Wort läßt sich kein Jota rauben.
Faust I, Studierzimmer

THEOPHRAST
DER 31. CHARAKTER

nach einem neugefundenen Papyrus des Ägyptischen Museums zu Plagwitz, herausgegeben von der Philologischen Gesellschaft zu Leipzig

Die Philologie

Die Philologie ist einfach ein Übermaß von Verlangen nach alten Schriften und Dingen, der Philologe einer, der die Bücher, die Papyri, die Inschriften und anderes der Art, allein schon weil sie alt sind, über alle Maßen schätzt und für heilig hält - und glücklich ist, wenn sie nicht heil, sondern durch viele Fehler und Lücken verdorben gefunden werden; denn solche Schriften wiederherzustellen und zu berichtigen, nennt er seine liebste und vornehmste Tätigkeit. Und wenn irgendwo eine alte Schrift gefunden wird - ist sie auf Papier geschrieben, so freut er sich; ist sie auf Pergament, so tanzt er; ist sie auf Papyrus, so jauchzt er vor Freude; ist sie auf Stein, so stimmt er ein Jubellied an; ist sie aber auf Bronze, so kniet er gar vor ihr nieder. Und für das, was seine eigene Zeit hervorbringt, hat er gar keine Bewunderung übrig und brummelt nur immer aus den homerischen Gedichten den Vers: „ ... wie jetzt die Menschen sind"; erblickt er aber eine Statue, eine von denen ohne Nase, voller Bruchstellen, ohne Beine und Arme, oder auch eine Scherbe von einem abgenutzten alten Tonkrug mit dem Hintern eines Jünglings darauf, so macht er vor Wonne einen Luftsprung und ruft entzückt: „Das hier - wie trefflich das wieder ist!" Und er verbringt mehr Zeit in den Bibliotheken als in seinem Haus, und auch da hat er Schlafzimmer, Herrenzimmer und Kinderzimmer vollgestopft mit Büchern. Und dem Mädchen gibt er strenge Order, ja nicht seinen Schreibtisch abzustauben oder gar aufzuräumen. Und trifft er eines von seinen zahlreichen Kindern auf der Straße, so erkennt er es nicht, sondern fragt es freundlich: „Liebes Kind, was weinst du? Wer, wes Vaters bist du, und wo ist dein trautes Zuhause?" Er ist auch ein Meister darin, seine Kinder mit fünf Jahren homerische Gesänge auswendig lernen zu lassen, und seine Frau das griechische Alphabet. Und die alten Gesetze der Griechen und Römer kennt er genauer als die seines eigenen Landes. Und seine Mäntel trägt er nach der alten Mode, und die Hosen kürzer als die Beine. Und unentwegt doziert er irgendetwas und wird ungehalten, wenn einer ihm nicht folgen will. Und mit seinen Fachkollegen liegt er ständig in heftigem Streit, wo er dann gegen das Geschrei der anderen mit erhobener Stimme darauf beharrt, das einzig Richtige sei, was er selbst gesagt habe. Dabei gebraucht er Wendungen wie: „Ich glaube das nicht", und „Das ist Unsinn", und „Das Gegenteil habe ich kürzlich klar bewiesen", und „Haben Sie noch nicht gelesen, was ich gerade darüber geschrieben habe?" Und er reist am liebsten nach Athen und Rom und schwärmt von dem Himmel dort, dem Land, dem Meer, den Männern, Frauen und jungen Mädchen; und die

Bilder von dem allem, die er immer mit sich herumträgt, betrachtet er in Entrückung. Und indem er wertlose oder nachgemachte Münzen, Scherben, Steinchen, Fläschchen und solches Zeug kauft, braucht er, ohne daß er's merkt, sein Reisegeld auf. Und wenn er nach Hause zurückkommt, verspricht er seiner Frau (am Rand: und seiner Schwiegermutter), sie das nächste Mal mitzunehmen.

Beilage zur Festgabe an die 44. Versammlung
deutscher Philologen und Schulmänner zu Dresden 1897,
wiederabgedruckt im originalen Griechisch und
in deutscher Übersetzung von K. Bartels,
Klassische Parodien, Zürich 1968

Hier ist ein konkretes Beispiel:

Der Herr Professor

Es steht auf seinem Katheder
Der Hofrat und doziert,
Der Meister, der mit Ruhme
Hebraika traktiert.
Rings lauschen die Studenten
Andächtig, wie er spricht;
Da stutzt er, und bedenklich
Umwölkt sich sein Gesicht.

„Hier steht ein Aleph“, ruft er,
„Was will das Aleph hier?
Wo kommt es her? Vergebens
Den Kopf zerbrech ich mir.“
Mit neunundzwanzig Gründen
Darauf beweist er scharf,
Daß hier bei Leib und Leben
Kein Aleph stehen darf.

„Und wer den Text verballhornt“,
Beschließt er indigniert,
„Hätt’ besser Schafe gehütet
Als Habakuk ediert.“
Er schlägt aufs Buch mit Zorne,
Da springt das Aleph weg,
Was ihn so sehr verdrossen,
War nur - ein Fliegendreck.

Emanuel Geibel

5. WESENTLICHE SCHWÄCHEN

Man läßt sich seine Mängel vorhalten,
man läßt sich strafen, man leidet manches
um ihrer Willen mit Geduld; aber ungeduldig
wird man, wenn man sie ablegen soll.

Joh. W. von Goethe, aus Ottiliens Tagebuch
(Wahlverwandtschaften), 1809

Die moralische Philosophie des Ordinarius hat Theophrast in seiner vierundzwanzigsten Charakterskizze unter der Überschrift „HYPEREPHANIA“ beschrieben. Hyperephania bezeichnet im Griechischen wörtlich das, „was über anderen erscheint“ oder „herausragt“ wie die aufgestellten Lanzen und Bratspieße über den Köpfen der griechischen Infanterie.

Im übertragenen Sinne bedeutet es zunächst zwar das „Hervorragende, Großartige, Stolze“, erscheint aber auch als tadelnswerte Überheblichkeit (Hybris) und als derjenige Hochmut, der sich in Verachtung des niedriger Gestellten einerseits und in gesteigerter Selbstachtung andererseits äußert.

Ich gebe nun eine leicht paraphrasierende, kreativ interpretierende Übersetzung des Originaltextes von Theophrast:

Es ist die Hyperephania eine Verachtung der Menschen außer der eigenen Person, der Ordinarius aber ein Mann der folgenden Art:
Ein Student kommt in Eile zu ihm - „Nach der Mensa", sagt er, „triff mich auf dem Verdauungsspaziergang."
Er hat einem Assistenzprofessor eine Wohltat erwiesen (Gutachten geschrieben, o. ä.) - und erinnert ihn immer wieder daran, dies nie zu vergessen.
Im Vorübergehen entscheidet er lässig die Streitfälle für diejenigen, die ihn als den Ombudsmann anrufen.
In eine Kommission gewählt, lehnt er ab und behauptet einfach, er habe keine Zeit.
Bei niemandem macht er einen Höflichkeitsbesuch.
Er bringt es fertig, sich die Lebensmittel ins Haus liefern zu lassen und Handwerker schon früh morgens zu bestellen.
Auf der Straße spricht er nicht mit Leuten, die ihm begegnen, und sieht zerstreut sich auf die Füße, dann wieder hochmütig in die Wolken.
Wenn er Kollegen zu Gast hat, ißt er nicht mit ihnen, sondern trägt einem seiner Assistenten auf (wörtlich: befiehlt einem der Seinen), ihnen Cocktails zu reichen.
Seine Sekretärin heißt er telefonieren, bevor er irgendwo hingeht.
Weder wenn er sich salbt, noch wenn er badet, noch wenn er ißt, läßt er jemanden zu sich kommen.
Bei Abrechnungen (z.B. Reisekostenabrechnung, Lohnsteuerjahresausgleich) gibt er seiner Sekretärin (oder seinem Assistenten, im Original „seinem Sklaven") den Auftrag, die Formulare auszufüllen und, wenn sie die Summe gezogen hat, sie ihm aufs Konto zu überweisen.
In Briefen schreibt er nicht „Wenn Sie so freundlich sein wollen", sondern „Mein Wille geschehe!" und „Ich habe einen Assistenten ausgeschickt, um dies und

das (z. B. ein Buch) zurückzuholen" (man beachte die final-instrumentale Um-zu-Konstruktion! Anm. des Übersetzers), und er schreibt „ Schnellstens!".

So weit Theophrast über die moralischen Grundsätze des Ordinarius. Ich füge ein paar Bemerkungen an, die der Historiker Friedrich Paulsen über die wesentlichen Schwächen des deutschen Professors zu Anfang dieses Jahrhunderts gemacht hat.

> Da ich einmal bei der Kehrseite der Dinge bin, so füge ich hier gleich eine Bemerkung über gewisse Schwächen hinzu, die man als moralische Berufskrankheiten des Universitätsprofessors bezeichnen könnte; sie hangen, wie alle Berufskrankheiten, mit der Berufsleistung zusammen und stellen sich vielfach als Kehrseite der Berufstugenden dar. Als die Kehrseite der Denkfreiheit, des Muts zu zweifeln und neue Gedankenbahnen zu beschreiten, die man als die erste Berufstüchtigkeit des Forschers bezeichnen kann, erscheint die Neigung zum Besserwissen: ein Professor, wie es in jener Scherzdefinition heißt, ist ein Mann, der anderer Meinung ist. Und mit dem Besserwissen ist die aufdringliche Rechthaberei gegeben: natürlich, wer die Sache besser weiß, verlangt, daß die Andern ihm zuhören und rechtgeben. In der That, Professoren, die reden und dozieren können und mögen, sind häufig genug anzutreffen, einem Professor, der hören kann, wird man nicht oft begegnen. Bismarck sagt einmal: in Deutschland treffe man keinen Menschen, der nicht alles besser verstehe, von der hohen Politik bis herab aufs Hundeflöhen; ob er dabei auch an seine Begegnungen mit Universitätsprofessoren gedacht hat? Ist mit der Rechthaberei Mangel an gesundem Menschenverstand verbun-

den, wie er mit Gelehrsamkeit ganz wohl zusammen besteht, dann wird sie zur entschiedenen Querköpfigkeit.
Verwandt mit der Rechthaberei ist der Hochmut, eine Pflanze, die auf jedem Boden gedeiht, überall die Farbe des Bodens annehmend. In der Universitätswelt ist der große Duns, wie man früher sagte, das „große Tier", wie es in der heutigen Studentensprache heißt, eine bekannte Erscheinung. Mit dem Gefühl der Überlegenheit tritt er auf, er spricht mit dem Nachdruck dessen, durch dessen Wort die Sache entschieden ist, Widerspruch oder Zweifel wird als ungehörig mit erhobenen Brauen zurückgewiesen. Leicht verbindet sich die Sache mit dem Spezialismus: man sieht auf seinem Felde niemand über sich und mißachtet getrost, was man nicht kennt. Kant spricht einmal von „Cyklopen der Wissenschaft", die ein unermeßliches Gewicht von Gelehrsamkeit, die „Last von hundert Kamelen" trügen, aber nur ein Auge hätten, nämlich ihre spezialistische Wissenschaft, das philosophische Auge fehle ihnen; er scheint sie besonders unter den Philologen angetroffen zu haben, „Cyklopen der Litteratur" nennt er sie. In der That hat unter diesen auch noch das 19. Jahrhundert vollendete und wahrhaft exemplarische Darstellungen des Typus hervorgebracht. Sie fehlen aber nirgends, nicht bei Juristen und Medizinern, noch bei Theologen und Philosophen. Man denke nur, um bei den Philosophen zu bleiben, an die Höhe des absoluten Selbstbewußtseins, mit dem die Spekulativen auf die übrigen Menschenkinder herabblickten, die blos mit dem Verstand an die Dinge herankönnten. Oder auch an Schopenhauer, der aus seiner Universitätslaufbahn, wenn sonst nichts, so doch einen Hochmut von Hegelscher „Gediegenheit" in seine Einsamkeit mit hinweggenom-

men und auf zahlreiche Nachfolger im Gebiet der „unzünftigen“ Philosophie vererbt hat; das absolute Selbstbewußtsein umgiebt hier das eigene Haupt statt mit der Professorengloriole mit ein wenig vom Schimmer der Märtyrerkrone: ein Wahrheitszeuge tauge freilich nicht zum Philosophieprofessor. So gehen die verwehten Samen des akademischen Hochmuts auch jenseits ihrer Umzäunungen auf.

Neben dem Hochmut gedeiht, um diese Blütenlese noch um eine weitere Spezies zu bereichern, auch die Eitelkeit; es ist eine Pflanze, die in der öffentlichen Darstellung ihren Nährboden hat. Auch die Universität bringt, so gut als die Bühne, stattliche Exemplare hervor. Ich überlasse ihre Beschreibung einem Mann, der vor hundert Jahren seine Beobachtungen angestellt hat; der Göttinger Meiners schreibt, freilich nicht immer die Ruhe des Weisen oder des Spinozistischen Naturhistorikers der Affekte festhaltend: „Ich muß gestehen, daß ich die Beispiele des empörendsten Stolzes und der thörichtsten, sowohl gutmütigen als widrigen Eitelkeit, die mir in dem Laufe meines ganzen Lebens vorgekommen sind, unter akademischen Gelehrten angetroffen habe. - - Es wäre ein Glück, wenn Gelehrte nur auf ihre gelehrten Kenntnisse und Verdienste eitel wären. Sehr oft sind sie es ebenso sehr auf die Gunst der Großen der Erde, vorzüglich der Damen, auf Reichtum und Titel, auf ihre gut besetzte Tafel und feine Weine, kurz auf alles, worauf ungebildete und beschränkte Menschen stolz sind.“ Und er fährt in seiner Moralisation fort: „Es ist fast nicht anders möglich, als daß in einer Klasse von Menschen, wo Stolz und Eitelkeit herrschen, auch Neid und Eifersucht gemeine Fehler seien. Sie offenbaren sich unter den Gelehrten ebenso oft auf eine lächerliche als gehässige Art. Man gebe nur Acht, wenn einer eine Besoldungs-Zulage oder einen höheren

Titel erhält. - - Ähnliche Erscheinungen zeigen sich, wenn ein junger Mann einen ungewöhnlichen Beifall erhält; wie häufig sind Fälle, daß Männer, die ohne allen Streit zu den ersten ihres Fachs gehören und dieses auch selbst glauben, dennoch das kleinste neben ihnen aufkeimende Verdienst niederzutreten oder zu entfernen sich bemühen. Der glühendste Liebhaber kann nicht eifersüchtiger auf seine Geliebte sein, als manche Gelehrte es auf den Ruhm und Beifall in ihrem Fach sind."

Die Zephir-Hymne:

Professor ist ein großes Tier,
trinkt nach Bedürfnis Wein und Bier;
doch zieht es ihn zur Kneipe hin,
so hält zurück die Gattin ihn;
nur heimlich drum, ihr zum Verdruß,
löst Silber er in Spiritus.
Den Staat und sich er konserviert,
bald ist sein Knopfloch auch geziert,
- wer wohl am dicken Bauch erkennt,
daß er mal war Privatdozent!

Lucian Müller

III. DER GYMNASIALPROFESSOR

Liebt er, Meili, tatsächlich die Grammatik und fürchtet die Gefühle, die, so hat er sich bisher glauben gemacht, schlierig seien und einen auf distinkte Klarheit verpflichteten Intellektuellen erst recht melancholisch stimmten? Wenn schon Gefühle, dann nach Regel und Ordnung, . . . eine Grammatik der Gefühle sozusagen.

Kurt Marti, Ein Abend in Lehrer Meilis ruhigem Leben,
in Bürgerliche Geschichten,
Darmstadt/Neuwied 1983, S. 43

1. PROFESSOR AM GYMNASIUM

Nimmer werd ich vergehn; blühen, solange mich ein Magister durchs Tor eines Gymnasiums trägt und die Klasse mit mir würdigen Schritts betritt und voll tiefen Verstands mich seiner Prima preist!

Chr. Morgenstern, (freie) Übersetzung der horazischen Ode III, 30 „Exegi monumentum . . .“

The Teacher's Monologue
...
Life will be gone ere I have lived;
Where now is Life's first prime?
I've worked and studied, longed and grieved,
Through all that rosy time.
To toil, to think, to long, to grieve,-
Is such my futute fate?
The morn was dreary, must the eve
Be also desolate?
Well, such a life at least makes Death
A welcome, wished-for friend;
Then, aid me, Reason, Patience, Faith,
To suffer to the end!

Emily Brontë

> Bring die ältesten deutschen Männer auf ihre Schulzeit zu sprechen, und du wirst in den meisten Fällen ein Wachsfigurenkabinett verschrullter Tröpfe vorgeführt bekommen, die übrigens jetzt so sachte aussterben, die von heute sind farbloser.
>
> K. Tucholsky, Gallettiana, Ausgew. Werke, Reinbek 1965, S. 197

Mehr noch als für den Universitätsprofessor ist das Bild des Gymnasialprofessors geprägt durch unauslöschliche Jugend- und Leseerinnerungen. Verstärkt durch den Ufa-Film „Der Blaue Engel", aber mit mehr Biß, Gift und Traurigkeit in Heinrich Manns Original, steht mir der griesgrämige Dr. Raat alias Professor Unrat als der archetypische alte Pauker vor Augen. Ein schäbig gekleideter, ewig Unzufriedener, der seinen Feinden, den Schülern, wieder einmal „nichts beweisen" kann; der umständliche Satzperioden mit „traun fürwahr" und dem Griechischen deutsch nachempfundenen Floskeln ineinanderschachtelt; der in jedem Hilfslehrer einen roten Sozialdemokraten wittert.

Er repräsentiert den Kleinbürger und Tyrannen, der durch die Macht der Zensuren über Leben und Tod entscheidet, diesen „hineinlegt", jenen „vernichtet" und nichts so sehr fürchtet wie den Zweifel.

Ob Unter- oder Oberlehrer, Ordinarius, Rektor oder kleiner Kandidat, sie alle verschmelzen letztlich zu einem einzigen Grundtypen, dem Lehrer, der aussieht wie Hansis Professor Knatschke und einer Gulbranssonschen Karikatur entsprungen scheint:

> Der Lehrer war ein Lehrer jeder Zoll. Seine Erscheinung bewies mir, daß gewisse Grundtypen unberührt bleiben von den extremsten Verwandlungen und Entwicklungen der Geschichte. Sogar die schwärzliche Kutte des Beamten, in welche er seinen bläßlich

> schmalen Leib nervös und fröstelnd hüllte, war lehrerhaft. Ebenso lehrerhaft war die Art, mit der er plötzlich zusammenzuckte, mit leerem Ausdruck sein Handgelenk betrachtete, mißbilligend spöttisch den Mund verkniff oder argwöhnische Blicke über seine Klasse hinschweifen ließ, um in der letzten Reihe irgendeinen Unfug zu entdecken, der ihn mit Lehrerschmerz, Lehrerzorn und Lehrersorge für den betroffenen Schüler erfüllte, je nachdem. Er trug einen langen Geographiezeigestab in der Rechten, den er teils als Stütze, teils als Waffe, teils als Taktstock zu nützen gesonnen schien.
>
> F. Werfel, Stern der Ungeborenen, Amsterdam 1946/1949, S. 310

Auch wenn F. W.s namenloser Lehrer in utopischer Zeit auf dem Stern der Ungeborenen unterrichtet, so schimpft er und droht den Faulen und Dummen genauso wie sein unsterblicher Kollege auf Erden. Hier und da lugt jedoch ein empfindsamer Mensch mit eigenem Gesicht und feiner Seele unter dem abgeschabten Pädagogenrock hervor, ein Mitmensch, den man beinahe liebgewinnen kann, wenn man dieses Gesicht und diese Seele einmal außerhalb des „Klassenverbandes" sieht - wie der Untersuchungsrichter im „Abituriententag" seinen Klassenvorstand Professor Kio.

Hermann Hesse veredelt seine Liebe zu zwei seltenen Exemplaren mit entschiedener Ehrfurcht für den Professor Schmid in der Calwer Lateinschule:

> Der Professor war keineswegs beliebt; er war ein kränklicher, bleich, versorgt und bitter blickender Mann, glatt rasiert, mit dunklem Haar, meist ernst und streng gestimmt, und wenn er einmal witzig war, so war sein Ton sarkastisch. Was mich eigentlich, entgegen dem allgemeinen Urteil der Klasse, für ihn gewann, weiß ich nicht. Vielleicht war es der Eindruck

> seines Unglücks. Er war kränklich und sah leidend aus, hatte eine kranke, zarte Frau, die beinahe niemals sichtbar wurde, und lebte, wie alle unsre Lehrer, in einer schäbigen Armut. . . . Bei Schmid erlebte ich etwas Neues. Ich erlebte neben der Furcht die Ehrfurcht, ich erfuhr, daß man einen Menschen lieben und verehren kann, auch wenn man ihn gerade zum Gegner hat, auch wenn er launisch, ungerecht und furchtbar ist.
>
> Hermann Hesse, Aus meiner Schülerzeit, Gesammelte Dichtungen, Frankfurt/M.1958, S. 597 f.

Während einiger Privatstunden in der bedrückenden Wohnung des Griechischlehrers Schmid, in diesem ärmlichen und unwirklichen und schauerlichen Reich, beginnt er den gefürchteten Tyrannen „ahnungsweise zu verstehen", wie Werfel seinen Kio. Später, auf der Lateinschule in Göppingen, begegnet Hesse einem noch tiefer wirkenden Original, dem genialen alten Seelenfänger und „verehrten Herrgott" dem Rektor Bauer,

> ein gebeugter alter Mann mit wirren grauen Haaren, etwas vorstehenden rotgeäderten Augen, gekleidet in ein grünlich verschossenes, unbeschreibliches Gewand von großväterlichem Schnitt, eine Brille tief unten auf der Nasenspitze tragend und in der rechten Hand eine lange, beinahe bis zum Boden reichende Tabakspfeife mit großem Porzellankopf haltend, aus dem er ununterbrochen gewaltige Rauchwolken emporzog und in die verräucherte Stube blies. Auch in den Schulstunden trennte er sich nicht von dieser Pfeife. Mir erschien dieser wunderliche alte Mann mit seiner gebückten, vernachlässigten Haltung, seiner alten verwahrlosten Kleidung, seinem trauriggrüblerischen Blick, seinen zertretenen Pantoffeln, seiner langen, qualmenden Pfeife wie ein alter Zauberer, dessen Obhut ich jetzt übergeben wurde. . . .

> Jenes Verhältnis zwischen Lehrer und Schüler, von dem ich in Calw bei Professor Schmid eine Ahnung bekommen hatte, jene so unendlich fruchtbare, dabei so subtile Beziehung zwischen einem geistigen Führer und einem begabten Kinde, kam zwischen Rektor Bauer und mir zur vollen Blüte.
>
> Hermann Hesse, a.a.0., S. 601 f.

Noch manches andere Mal hatte Hesse Gelegenheit, mit viel Sentiment seiner Schulzeit auf den Lateinschulen zu gedenken. Mit sehr viel weniger Wehmut schreibt der Habilitand Dr. Schopenhauer in seinem Lebenslauf, wie er einen Gymnasialprofessor Schultz auf dem „blühenden berühmten Gothaer Gymnasium" „bei Tische mit etlichen Witzen durchzog" und ihm daraufhin, als Verweis und Strafe, der Direktor daselbst, der Professor Döring, „den Privatunterricht aufsagte" - wohlgemerkt, dieser Streich wird dem Dekan Boeck der philosophischen Fakultät der neuen Universität Berlin aus Anlaß eines Habilitätsgesuches in bestem Latein mitgeteilt! Den zerstreuten Professor Galletti mit seinen Kathederstilblüten hat Schopenhauer in Gotha nicht mehr erlebt. Tucholsky, sich von seinen Forschungen über die Hämorrhoiden der Hohenzollern losreißend, teilt uns entzückt einige „Gallettiana" mit.

Ob um 1800 oder um 1900, sie gleichen sich wie ein Zwikker dem anderen: Manschetten und Kragen sind durchgescheuert, und im Barte klebt noch das Sauerkraut. In ihrer Armut und Armseligkeit sind sie der täglichen Spottlust des Volkes, der hübscheren Mädels zumal, und den Lausbubenstreichen der Ludwig Thomase ausgesetzt.

Zur Zeichnung, ja Verzeichnung der Gymnasialprofessoren hat vielleicht am meisten und eindrucksvollsten der junge Thomas Mann beigetragen, als er dem beginnenden 20. Jahrhundert Hanno Buddenbrooks Lehrerkollegium mit festen, unsentimentalen Strichen, die von keiner Hesseschen Liebe gemildert werden, entwirft. Kurz bevor der 15jährige Hanno dem Typhus erliegt, im drittletzten Kapitel des Romans, erscheinen sie auf dem Katheder, einer nach dem anderen:

Herr Oberlehrer Ballerstedt, genannt „Kakadu“, unterrichtet Religion:

> Er war ein Vierziger von sympathischem Embonpoint, mit großer Glatze, rötlich-gelbem, kurz gehaltenem Vollbart, rosigem Teint und einem Mischausdruck von Salbung und behaglicher Sinnlichkeit um die feuchten Lippen. . . . Er hatte ehemals Priester werden sollen, war dann jedoch durch seine Neigung zum Stottern wie durch seinen Hang zu weltlichem Wohlleben bestimmt worden, sich lieber der Pädagogik zuzuwenden. Er war Junggeselle, besaß einiges Vermögen, trug einen kleinen Brillanten am Finger und war dem Essen und Trinken herzlich zugetan. . .

Oberlehrer Doktor Mantelsack, der Ordinarius, Latein:

> Er war ein mittelgroßer Mann mit dünnem, ergrautem Haar, einem krausen Jupiterbart und kurzsichtig hervortretenden saphirblauen Augen, die hinter den scharfen Brillengläsern glänzten. Er war gekleidet in einen offenen Gehrock aus grauem, weichen Stoff, den er in der Taillengegend mit seiner kurzfingerigen und runzeligen Hand sanft zu betasten liebte. Seine Beinkleider waren, wie bei allen Lehrern bis auf den feinen Doktor Goldener, zu kurz und ließen die Schäfte von einem Paar außerordentlich breiter und marmorblank gewichster Stiefel sehen.

Der Kandidat Modersohn . . .

. . . war ein kleiner, unansehlicher Mann, der beim Gehen eine Schulter schräg voranschob, mit einem säuerlich verzogenen Gesicht und sehr dünnem, schwarzem Bart. Er war in furchtbarer Verlegenheit. Immer zwinkerte er mit seinen blanken Augen, zog den Atem ein und öffnete den Mund, als wollte er etwas sagen. Aber er fand nicht die Worte, die nötig waren. Nach drei Schritten, die er von der Tür aus zurückgelegt, trat er auf eine Knallerbse, eine Knallerbse von seltener Qualität, die einen Lärm verursachte, als habe er auf Dynamit getreten. Er fuhr heftig zusammen, lächelte dann in seiner Not, tat, als sei nichts geschehen, und stellte sich vor die mittlere Bankreihe, indem er nach seiner Gewohnheit, schief gebückt, mit einer Handfläche auf die vorderste Pultplatte stützte. Aber man kannte diese seine Lieblingsstellung, und darum hatte man diese Stelle des Tisches mit Tinte beschmiert . . .

Der Direktor Doktor Wulicke, der „liebe Gott“ :

. . . ein außerordentlich langer Mann mit schwarzem Schlapphut, kurzem Vollbart, einem spitzen Bauche, viel zu kurzen Beinkleidern und trichterförmigen Manschetten, die stets sehr unsauber waren. . . . Dieser Direktor Wulicke war ein furchtbarer Mann. Er war der Nachfolger des jovialen und menschenfreundlichen alten Herrn, unter dessen Regierung Hanno's Vater und Onkel studiert hatten, und der bald nach dem Jahre einundsiebenzig gestorben war. Damals war Doktor Wulicke, bislang Professor an einem preußischen Gymnasium, berufen worden, und mit ihm war ein anderer, ein neuer Geist in die Alte Schule eingezogen. Wo ehemals

> die klassische Bildung als ein heiterer Selbstzweck gegolten hatte, den man mit Ruhe, Muße und fröhlichem Idealismus verfolgte, da waren nun die Begriffe Autorität, Pflicht, Macht, Dienst, Karriere zu höchster Würde gelangt, und der „ kategorische Imperativ unseres Philosophen Kant" war das Banner, das Direktor Wulicke in jeder Festrede bedrohlich entfaltete. . . . Was Direktor Wulicke persönlich betraf, so war er von der rätselhaften, zweideutigen, eigensinnigen und eifersüchtigen Schrecklichkeit des alttestamentarischen Gottes. Er war entsetzlich im Lächeln wie im Zorne. Die ungeheure Autorität, die in seinen Händen lag, machte ihn schauerlich launenhaft und unberechenbar. Er war imstande, etwas Scherzhaftes zu sagen und fürchterlich zu werden, wenn man lachte. Keine seiner zitternden Kreaturen wußte Rat, wie man sich ihm gegenüber zu benehmen habe. Es blieb nichts übrig, als ihn im Staub zu verehren und durch eine wahnsinnige Demut vielleicht zu verhüten, daß er einen nicht dahinraffe in seinem Grimm und nicht zermalme in seiner großen Gerechtigkeit . . .

Und dann sind da noch der Rechenlehrer Tietge, der „tiefe Oberlehrer" Doktor Marotzke, der ironische Doktor Mühsam mit seinem häuslichen Heine-Archiv, die „Spinne" Professor Hückopp, alle wahrlich keine faustischen Menschen. Geerbt von Jeremias Gotthelfs Schulmeisterlein haben sie, scheint's, nur die Leiden, nicht die Freuden. Nur manchmal, bei Adalbert Stifter und Wilhelm Raabe zum Beispiel, ist die Dürftigkeit des Lebens durch eine allerdings glanzlose Idylle verbrämt.

Verglichen mit Heinrich Manns hintergründig-prophetischem Roman, in dem sich aus einer verknitterten Beamtenlarve ein veritabler Bösewicht auswickelt und, ein Kleinstadt-

Mephistopheles, Verderben verbreitend sich ins Fäustchen lacht, wirken Hannos Lehrer als Staffage einer nie untergehenden Mittelmäßigkeit, als Konstanten miserabler Bürgerlichkeit, vor welchem Hintergrund die allgemeine Auflösung der Familie Buddenbrook und, im besonderen, Hannos Ende im häßlichen Typhus noch greller erscheinen müssen. Doch auch wenn sie hier nur wie Marionetten als atmosphärische Nebenfiguren auf- und in der nächsten Schulstunde wieder abtreten, um Thomasens frühe Meisterschaft der ironischen äußeren Beschreibung vorzuzeigen, so dürfen sie vielleicht trotzdem schon als Vorstufen und Studien des späteren Dr. Faustus alias Adrian Leverkühns und des bemerkenswerten Hilfslehrers Doktor Überbein in „Königliche Hoheit" aufgefaßt werden.

Dr. Faustus, das ist bekannt, wird flankiert durch zwei Kontrastprofessoren, deren einer, Professor Ehrenfried Kumpf (lehrt Religionsphilosophie an der Universität Halle), einerseits den deutschen Hausvater und Pfadfinder („Das Wandern ist des Müllers Lust" auf eigener Gitarre) verkörpert, andererseits und übergangslos wie eine Luther-Karikatur eine Semmel greift und in die dunkle Zimmerecke schleudert, dorthin, wo er den Deivel weiß - dann wieder die Frau umarmt und ein schepperndes „Wer recht in Freuden wandern will" anstimmt. Der andere, der Religionspsychologe Dr. Eberhard Schleppfuß, tritt auf wie ein Vorbote des Mephistopheles, angetan mit einem düsteren Umhange, der am Hals mit einer metallenen Kette zusammengehalten und verschließbar ist. Bedeckt von einem schwarzen Schlapphut mit seitlich gerollter Krempe bewegt sich Schleppfuß mit der Andeutung eines leichten Hinkens fort - oder sollte dies nur die Suggestion seines Namens sein?

Neben diesen, als Kontrastfiguren konzipierten Nebendarstellern nimmt der Lehrer Dr. Raoul Überbein, Erzieher des Prinzen Klaus Heinrich, eine ganz neue, wichtigere Rolle ein.

So wie er die Entwicklung des Prinzen durch entscheidende Phasen hindurch nicht nur begleitet, sondern leitet, kämpft er sich selbst, ein „umgetriebener Mann“ und „Malheur von Geburt“, von einer „strammen Haltungsethik“ zur Humanität durch, allerdings nur, um seine eigene Tragik zu erfüllen: „Fünf Wochen nach Neujahr fanden seine Wirtsleute ihn auf dem dürftigen Teppich seines Zimmers, nicht grüner als sonst, aber eine Kugel im Herzen.“

Der Doktor Überbein, komponiert aus autobiographischem Material, ist einer der wenigen Gymnasialprofessoren, die ein eigenes literarisches Leben haben und nicht nur als Bühnenrequisiten in einem Stück wilhelminischen Schultheaters als gelehrte Hanswürste mitspielen. Auch Thomas Mann hat diese Schöpfung nur einmal fertiggebracht; Professor Kuckuck in den „ Bekenntnissen des Hochstaplers Felix Krull“ und Professor Spoelmann, Klaus Heinrichs mathematischer Schwiegervater, verblassen dagegen - nicht etwa, weil sie farblos wären, sondern weil ihre Funktion in den Romanen weniger dramatisch als dekorativ ist, Repräsentanten Mannschen Stils mehr als eigene Charaktere.

Mit der Stereotypisierung des Gymnasialprofessors und, allgemeiner, des Lehrers geht im ersten Drittel dieses Jahrhunderts eine Standardisierung des Schülerdaseins parallel, die ihren Niederschlag in ungewöhnlich vielen Dramen und Romanen findet, in denen die Sympathie des Autors fast immer auf seiten des vermeintlich Schwächeren, des Schülers, steht, von Wedekinds Kindertragödie „Frühlings Erwachen“ und Max Halbes Drama „Jugend“ zu Gerhart Hauptmanns „Hanneles Himmelfahrt“ und Arno Holz’ beliebtem Träumer „Traumulus“, von Robert Musils „Törleß“ zu Hermann Hesses „Unterm Rad“, Emil Strauß’ „Freund Hein“ und Friedrich Torbergs „Schüler Gerber“ und andere mehr. Es scheint beinahe, als sei ein neues Genre innerhalb des Entwicklungsdramas und -romans entstanden: das Kinder- und Schulstück, das nicht mehr Idylle, sondern die Tragödie des Erwachsenwerdens zeigt. Und in der zweiten Hälfte dieses Jahrhunderts? Gehalt und Ansehen sind unvergleichlich höher; Philologenverband und Gewerkschaft haben erfolgreich für ihn gestritten, der jetzt meist Studienrat heißt. Wie Tucholsky sagt, „die von heute sind farbloser". Aber auch besser ausgebildet, dabei weder außerordentlich noch Außenseiter und - trotz aller Klagen - sehr zufrieden mit sich und der Welt. „DER SPIEGEL" hat 1980 eine Dokumentation „Akademiker in Deutschland" veröffentlicht, die einschlägige Umfrageergebnisse über fast zwei Millionen studierter Mitbürger hochgerechnet und erbarmungslos in Tabellen, Statistiken, Zahlen umgesetzt hat. Lehrer bilden danach, mit acht von zehn möglichen Punkten, den zufriedensten Stand. Allerdings glaubt ein hoher Prozentsatz gleichzeitig, einig mit der Mehrheit aller Akademiker, daß das Ansehen des Studierten abgenommen habe und weiter sinken werde. Ob er, der Studienrat, schon wieder einen literarisch ergiebigen Typus abgibt, ist nicht ausgemacht. Ist es wirklich eine ganze Novelle wert zu beschreiben, wie ein Midlife-Oberstudienrat Dr. Helmut Halm (seine Schüler nennen ihn den „Bodenspecht") beinahe Kierkegaard gelesen hätte und ebenso beinahe am Segeltod eines Studienfreundes nicht ganz unschuldig geworden wäre? Na ja, ich dilettiere auch nur in Ironie, Herr Walser.

Es ist Günter Grass, der für seinen Studienrat Eberhard Starusch wieder Anschluß an die Geschichte sucht. Starusch hat gerade 14tägige Zahnarztpause und Zeit, um nachzudenken. Hören wir ihm zu:

> Er lehrt, geht spazieren, bereitet sich vor, hofft auf, faßt zusammen, denkt sich was anderes aus, nennt ein Beispiel, wertet, erzieht.
> Der Lehrer ist ein Begriff. Vom Lehrer wird etwas erwartet. Von einem Lehrer erwarten wir etwas mehr. Es

fehlen Lehrer. Die Schüler setzen sich und blicken nach vorne.
Als sich der Lehrer einer zahnärztlichen Behandlung unterwerfen mußte, sagte er zu seinen Schülerinnen und Schülern: „Nehmt bitte Rücksicht auf euren armen Lehrer. Er hat sich einem Zahnklempner ausliefern müssen, er leidet."
Der Lehrer an sich. (Er sitzt im Glashaus und korrigiert Aufsätze.) Der Lehrer, in Kästchen verteilt, als Grundschullehrer, Realschullehrer, als Studienrat, Internatslehrer, auch Gewerbelehrer. Der Erzieher oder Pädagoge. (Wenn wir Lehrer sagen, meinen wir den deutschen Lehrer.) Er bewohnt eine noch nicht ausgemessene, im Entwurf schon reformbedürftige, bei aller Enge weltweit gedachte pädagogische Provinz.
Der Lehrer ist eine Figur. Früher war der Lehrer ein Original. Auch heute noch sagen die Schüler leichthin „Pauker", wenn sie den Lehrer meinen; wie ich vor meinen Schülern von einem Zahnklempner sprach, als ich meinem Zahnarzt einen sadistischen Anstrich geben wollte. (Als wir noch miteinander plauderten, ließen wir den Klempner, den Pauker dahingestellt sein, ohne unter diesen groben Klassifizierungen zu leiden.)
Er sagte: „ Es gibt natürlich eine Unmenge Anekdötchen, in denen der Zahnarzt als moderner Folterknecht Pointen liefern muß. Der ewige Doktor Eisenbarth".
Ich sagte: „Dem Lehrer steht, gleich, welche Schule oder Klasse, welchen Schulhof er betreten will, gleich, welcher Elternversammlung er Rede und Antwort stehen muß, die Figur des Lehrers im Wege. Lehrer haben an andere Lehrer zu erinnern. Nicht nur an solche, die man gehabt hat, auch an literarische Lehrerfiguren, zum Beispiel an Kluges Doktor Windhebel oder an irgendeine Lehrergestalt bei Otto Ernst; wie überhaupt

die sogenannte Gestalt des Lehrers Maßstäbe setzt. Der Lehrer bei Jeremias Gotthelf. (Immer noch werden wir an den Freuden und Leiden eines Dorfschulmeisters gemessen.) Der Lehrer als Sohn eines Lehrers, wie ihn Raabe in der ‚Chronik der Sperlingsgasse' sieht. Ich sage Ihnen, all diese Schulmeisterlein Wuz, diese schwindsüchtigen Karl Silberlöffel, selbst Flachsmann als Erzieher und die pädagogischen Brosamen des Schulrates Pollack, den Heideschulmeister Karsten, auch Grimms Lehrer Rölke, ach, und die Studienräte, von denen gesagt wird, sie nahmen, als Philologen, schon immer eine Sonderstellung ein, den Studienrat bei Wiechert, den Studienrat bei Binding, alle, alle müssen wir mitschleppen, damit wir an ihnen gemessen werden können: Meiner war ganz anders . . . Meiner erinnert mich an . . . Und meiner, haben Sie mal ‚Feldmünster' gelesen? - Deshalb sage ich: Wie meine Lehrer in meine Erinnerung eingingen und sich, gemessen an literarischen Lehrergestalten, auch solchen, die im Film vorkommen, nahezu fiktiv benehmen - wie wollte mein armer Professor Wendt gegen einen Professor Unrat ankommen, zumal er an Unrat erinnerte und nicht Unrat an ihn - so werde auch ich meinen Schülern zur Erinnerung werden, verglichen womit?"
Mein Zahnarzt bemerkte, daß es mir an zeitgenössisch literarischen Lehrergestalten mangelte: „Machen Sie sich nichts draus. Auch Zahnärzte kommen in der Literatur kaum, nicht mal in Lustspielen vor."

Örtlich betäubt, S.170 ff.

Günter Grass' Ahnenreihe literarischer Lehrer verschweigt einen realiter ausgestorbenen Typen: den Pauker als Pauker, als Prügler also, Alptraum unserer Vorväter, dem Franz Kafka das fünfte Kapitel des „Prozeß" gewidmet hat. Nicht weniger suggestiv heißen in Wedekinds „Frühlings Erwachen" zwei

Studienräte „Knüppeldick" und „Knochenbruch". Zugegeben, diese Namen sind so unwahrscheinlich, daß sie von Thomas Mann stammen könnten; aber gar nicht unwahrscheinlich war - nomen est omen - der häufige Ge- und Mißbrauch von Stökken und Ruten dieser Herren auf Rücken, Händen und Köpfen der ihnen übergebenen untergebenen Schüler. Die Rute als Standessymbol, der Faschist in der Klasse - so sehen wir ihn immer wieder auf Holzschnitten, Miniaturen und Kupferstichen dargestellt (siehe in Emil Reicke, Der Lehrer, die Abbildungen S.15,17, 36, 51 und Züchtigungsszenen S. 48, 56). Und dann ist da noch der Herr Rektor Abromeit. Wie ein alter, hungriger Rabe, mit kleinen, unheimlichen, schwarzen Ferkelaugen, sitzt er da und liest gemütlich elterliche Beschwerdebriefe, während seine „Knubbels", das „Schweinzeug" , wie er seine Jungenklasse nennt, unbeweglich ins Tintenfaß starren, mäuschenstill und bedroht:

> Da sie mein 6 Jähries Mendchen so gebrigel haben das nach drei Tage noch braun un blau aus sa.

Und eine andere Mutter schreibt von ihrem geprügelten Sohn:

> Er hatt so schlimme Augen da bitte ich schon ein Bischen Rücksicht zu nehmen und mächte si zuchleich bitten den Kindern nicht so ausverschämt zu hauhen des sie abgeschunden zu hause kommen
> Herlichen Gruß Frau Primkus

Als besonders ironisch muß die verflossene Sitte gelten, die Schüler auf fröhlichen Ausflügen die Stöcke und Ruten selbst sammeln und schneiden zu lassen: Virgidemia, also Rutenlese oder Prügelernte, nannte sich die Unternehmung. Wohl dem, der sich vor der Züchtigung noch rechtzeitig eine lateinische Grammatik als sogenannten *sparadorsum* = Rükkenschoner unter das Hemd gesteckt hatte!

Natürlich haben deutsche Pädagogen die Prügelstrafe nicht erfunden: Von dörflichen und von vornehmen Schulen Englands wissen nicht nur Dickens und Lord Bertrand Russell zu berichten, und Samuel Butler schrieb 1664:

> Some have been beaten till they know
> What wood a cudgel's of by th' blow;
> Some kicked, until they can feel whether
> A shoe be Spanish or neat's leather.

Hudibras II, canto I, S. 221-224

So wie sich früh krümmt, was einmal ein Haken werden will, hat sich auch schon früh eine Züchtigungsrechtfertigungsphilosophie herausgebildet, die sich auf Seneca berufen kann:

> „Wie also? Niemals ist Züchtigung nötig?" Warum nicht? Aber sie soll unverfälscht, mit Vernunft stattfinden; nicht nämlich stiftet sie Schaden, sondern heilt trotz des Anscheines zu schaden. Wie wir manche krummen Pfähle, um sie geradezubiegen, anbrennen und mit Keilen, nicht um sie zu brechen, sondern sie zu strecken, hart behandeln, so richten wir von Fehlern verbogene Charaktere mit körperlichem und seelischem Schmerz wieder gerade.

Über den Zorn (De ira), Erstes Buch, VI,1

Ist es einerseits der fragwürdige erzieherische Impuls (oder etwa doch der frustrierte Zorn eines unterbezahlten Tyrannen?), so ist es auf seiten der Schüler mehr noch als der Schmerz - die Angst, die ständig drohende Gewißheit von „dem Schlag ins Gesicht" der wütenden Lehrer Mager und Dürr in Leonhard Franks Romanen „Die Räuberbande", „Die

Ursache“ und „Links wo das Herz ist“.

Keine Frage: Dieser einfachen Pfahl-Philosophie haben sich auch Wilhelm Buschs Lehrer verschrieben, namentlich die Rektoren:

> Der Rektor, welcher in heftigem Zorn,
> schlägt nach hinten und zieht nach vorn,

nämlich am Zopfe des kleinen Hieronymus, der allerdings kein Engel ist (siehe die „Bilder zur Jobsiade“ , Das Gesamtwerk, Hrsg. Hugo Werner, Olten 1964). Genauer wird die skizzierte Technik im sechsten Band, S.167, beschrieben:

> Hinten herum
>
> Ein Mensch, der etwas auf sich hält,
> Bewegt sich gern in feiner Welt;
> Denn erst in weltgewandten Kreisen
> Lernt man die rechten Redeweisen,
> Verbindlich, aber zugespitzt
> Und treffend, wo die Schwäre sitzt.
> Es ist so wie mit Rektor Knaut,
> Der immer lächelt, wenn er haut.
> Auch ist bei Knaben weit berüchtigt
> Das Instrument, womit er züchtigt.
> Zu diesem Zweck bedient er nämlich,
> Als für den Sünder gut bekömmlich,
> Sich einer schlanken Haselgerte,
> Zwar biegsam, doch nicht ohne Härte,
> Die sich, von rascher Hand bewegt,
> Geschmeidig um die Hüfte legt.
> Nur wer es fühlte, der begreift es:
> Vorn schlägt er zu und hinten kneift es.

Vom bekanntesten Buschschen Lehrer sind Züchtigungen nicht bekannt. Im „Vierten Streich" des „Max und Moritz" wird der Herr Lehrer Lämpel ganz als Verwalter eines pädagogischen Auftrags vorgestellt:

Also lautet ein Beschluß:
Daß der Mensch was lernen muß.
Nicht allein das A - B - C
Bringt den Menschen in die Höh' ;
Nicht allein im Schreiben, Lesen
Übt sich ein vernünftig Wesen;
Nicht allein in Rechnungssachen
Soll der Mensch sich Mühe machen;
Sondern auch der Weisheit Lehren
Muß man mit Vergnügen hören. -
Daß dies mit Verstand geschah,
War Herr Lehrer Lämpel da. -

Wir wollen den deutschen Gymnasialprofessor nicht verlassen, ohne nicht wenigstens einen kursorischen Blick auf den Studienrat zu werfen, der am 23. Mai 1943 die Feder ergreift, um aus der Sicht des Freundes das Leben des genialen Tonsetzers Adrian Leverkühn zu erzählen: Serenus Zeitblom, Biograph und schlechtes Gewissen des „unlauteren Genies" zugleich, mehr als Eckermann für Goethe, Boswell für Johnson, Watson für Sherlock Holmes oder Ed McMann für Johnny Carson repräsentiert er nicht nur den „straight man" und die beschränkte Erzählerperspektive („das Dämonische durch ein exemplarisch undämonisches Mittel gehen zu lassen", wie Thomas Mann diese verbreitete Brechungstechnik selbst beschreibt: in „Die Entstehung des Doktor Faustus", S. 32), repräsentiert er, sage ich, nicht nur die farblose Kulisse des Normalen, Gemäßigten, Bürgerlichen, Gesunden, vor der sich der Ausnahmemensch dann um so schärfer heraushebt -

der Kontrast des mahnend-kommentierenden Moralischen zum einsamen, kompromißlosen, letztlich unmoralischen Ästheten -, ich bitte wieder ansetzen zu dürfen: Es ist „das Geheimnis ihrer Identität“ (Entstehung, S. 82), die Tatsache, daß Zeitblom Adrians „anderes Ich“ ist, was Manns „Doktor Faustus“ zu dem Studienratsroman der ersten Hälfte dieses Jahrhunderts macht.

Nicht unterwürfig, sondern höflich und mit einer Verbeugung zum Leser sowie auch zur respektierlichen Tradition seines Standes stellt Zeitblom sich vor:

> Ich bin eine durchaus gemäßigte und, ich darf wohl sagen, gesunde, human temperierte, auf das Harmonische und Vernünftige gerichtete Natur, ein Gelehrter und conjuratus des „Lateinischen Heeres“ nicht ohne Beziehung zu den Schönen Künsten (ich spiele die Viola d'amore), aber ein Musensohn im akademischen Sinne des Wortes, welcher sich gern als Nachfahre der deutschen Humanisten aus der Zeit der „Briefe der Dunkelmänner“ eines Reuchlin, Crotus von Dornheim, Mutianus und Eoban Hesse betrachtet. Das Dämonische, so wenig ich mir herausnehme, seinen Einfluß auf das Menschenleben zu leugnen, habe ich jederzeit als entschieden wesensfremd empfunden, es instinktiv aus meinem Weltbilde ausgeschaltet und niemals die leiseste Neigung verspürt, mich mit den unteren Mächten verwegen einzulassen, sie gar im Übermut zu mir heraufzufordern, oder ihnen, wenn sie von sich aus versuchend an mich herantraten, auch nur den kleinen Finger zu reichen. Dieser Gesinnung habe ich Opfer gebracht, ideelle und solche des äußeren Wohlseins, indem ich ohne Zögern meinen mir lieben Lehrerberuf vor der Zeit aufgab, als sich erwies, daß sie sich mit dem Geiste und den Ansprüchen unserer geschichtlichen Entwicklungen nicht vereinbaren ließ. In dieser Beziehung

> bin ich mit mir zufrieden. Aber in meinem Zweifel, ob ich mich zu der hier in Angriff genommenen Aufgabe eigentlich berufen fühlen darf, kann mich diese Entschiedenheit oder, wenn man will, Beschränktheit meiner moralischen Person nur bestärken.

Beschriftet Zeitblom sich also als „durchaus gemäßigt" und bis zur Langeweile „normal", „gesund", „temperiert", so sieht er sich - und das ist ein nicht ganz kleiner Widerspruch - in einer erlauchten Reihe individuell herausragender Humanisten stehen, als deren Nachfahre er sich „gern" betrachtet. Der - zugegebenen - Beschränktheit des Studienrats steht aber auf der anderen Seite eine sprachliche und psychologisierende Virtuosität gegenüber,

> die Thomas Mann, nicht ihm gebührt und die sich schwer vereinigen läßt mit dem schlichten Hieronymus im Gehäuse, der die harmloseren Kapitel abgefaßt hat. Dann wieder verfällt er in den Ton der politischen Reden, mit denen sein Schöpfer Deutschland aufzuwekken versuchte. Es ist nicht auszukommen mit ihm.

Emil Staiger, 'Thomas Manns „Doktor Faustus"
Literarische Revue 3,1948, S. 185

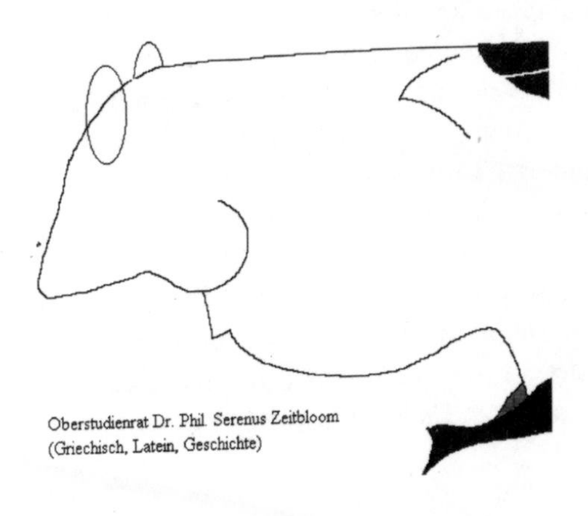

Oberstudienrat Dr. Phil. Serenus Zeitbloom
(Griechisch, Latein, Geschichte)

Das ist wohl richtig; aber seine Zwiespältigkeit nur in der Doppelrolle als Biograph Adrians einerseits und als Sprachrohr des Autors andererseits sehen zu wollen, wird der Komplexität des Serenus Zeitblom nicht gerecht. Als eine im wesentlichen „gesunde ... Natur“ wird Zeitblom niemals, nach Thomas Mannscher Auffassung, der tieferen Geheimnisse des Geistes und der Kultur teilhaftig werden; aber er ist, wenngleich kein Kranker wie Leverkühn, doch angekränkelt: Er möchte, gesund und vernünftig, das Dämonische „instinktiv“ aus seinem Weltbild ausschalten. Ganz ist es ihm aber nicht gelungen; denn er gesteht seinen Primanern, daß Kultur für ihn „recht eigentlich die fromme und ordnende, ich möchte sagen begütigende Einbeziehung des Nächtig-Ungeheueren in den Kultus der Götter sei“. Das klingt nach kulturellem Buchhaltertum, das dem Dämonischen immerhin eine domestizierte Rolle nahe dem Religiösen zuweist und, beinahe schon folgerichtig, den Ausbruch aus dem Kultus der Götter als Barbarei identifiziert. Je mehr Zeitblom im Verlaufe der Erzählung seine eigene Schuld am Scheitern des Freundes spürt, desto deutlicher werden ihm auch die Zweifel an diesem Kulturbegriff, so daß er am Ende gesteht:

> Werde ich wieder einer humanistischen Prima den Kulturgedanken ans Herz legen, in welchem Ehrfurcht vor den Gottheiten der Tiefe mit dem sittlichen Kult olympischer Vernunft und Klarheit zu einer Frömmigkeit verschmilzt? Aber ach, ich fürchte, in dieser wilden Dekade ist ein Geschlecht herangewachsen, das meine Sprache so wenig versteht wie ich die seine, ich fürchte, die Jugend meines Landes ist mir zu fremd geworden, als daß ich in ihr Lehrer noch sein könnte, - und mehr: Deutschland selbst, das unselige, ist mir fremd, wildfremd geworden, eben dadurch, daß ich mich, eines grausigen Endes gewiß, von seinen Sünden zurück-

> hielt, mich davor in Einsamkeit barg. Muß ich mich nicht fragen, ob ich recht daran getan habe? Und wiederum: habe ich's eigentlich getan? Ich habe einem schmerzlich bedeutenden Menschen angehangen bis in den Tod und sein Leben geschildert, das nie aufhörte, mir liebende Angst zu machen. Mir ist, als käme diese Treue wohl auf dafür, daß ich mit Entsetzen die Schuld meines Landes floh.

Lesen wir noch seine Darstellung der Kridwiß-Gespräche, denen er entsetzt - aber höflich schweigend - zuhört, so wird vollends seine passive Hilflosigkeit deutlich, Mangel an Willenskraft und Überzeugung, die dem deutschen Intellektuellen oft vorgeworfen wurden, gipfelnd in der Anschuldigung, der deutsche Lehrer sei am Zweiten Weltkrieg schuldig.

Es liegt hier eine andere, nicht geringere Schuld als die, von der Hesse bei den Lehrern des begabten Hans Giebenrath („Unterm Rad") und Strauß bei den Mathematikprofessoren des zarten, musikalischen Heinrich Lindner („Freund Hein") sprechen. Daher trifft Martin Gregor-Dellin nur den harmloseren Aspekt, wenn er Tucholskys „die von heute sind farbloser" und neuere „Abgesänge eines Genre" so erklärt:

> Der Grund ist nicht nur darin zu suchen, daß wir noch zu geringen Abstand besitzen und das Erlebnis der Schulzeit von der jüngsten Generation noch nicht „verarbeitet" worden ist, oder daß sich die ernsthaften literarischen Bemühungen neuerdings ganz anderen Gegenständen zuwenden. Nein, auch die Lehrer und die Schüler haben sich geändert, ihr Verhältnis zueinander ist anders geworden, und die Schüler kennen offenbar den typischen „Schülerkonflikt" nicht mehr. Sie haben verlernt, im Lehrer einen Tyrannen oder einen Popanz zu sehen, dem man Schwänzchen an den Rockschoß

> näht oder Tinte auf den Stuhl gießt oder den man hassen muß, weil man sein Sklave ist.
>
> Martin Gregor-Dellin, Nachwort, in „Vor dem Leben“ (Schulgeschichten von Thomas Mann bis Heinrich Böll), München 1965, S. 301

Dies ist ein Fazit aus den sechziger Jahren. Wie sich danach, in nicht einmal zwanzig Jahren, die Pole: hie Mikrokosmos Schule, da vorgesetzte Behörde und Gesellschaft, für Lehrer, Studienräte und Gymnasialprofessoren voneinander fortbewegt haben, dafür sehe man zwei Beispiele: Professor Rainer Winkels Artikel „Dann machen wir Sie fertig“ in „DIE ZEIT“ Nr. 51, vom 23. Dezember 1983, und Peter Schneiders „. . . schon bist du ein Verfassungsfeind. Das unerwartete Anschwellen der Personalakte des Lehrers Kleff“ Berlin 1975. Der Konflikt ist nicht mehr einer zwischen „dem Schüler“ und „dem Lehrer“, sondern ein Rollenkonflikt zwischen Kinder- und Erwachsenenwelt:

> Die Mißachtung des Lehrers hatte demnach auch den Aspekt, daß man ihn, weil er in eine Kinderwelt eingespannt ist, nicht ganz als Erwachsenen wahrnimmt, während er ein Erwachsener ist und seine Ansprüche aus seinem Erwachsensein ableitet. Seine Würde wird weithin als der unzulängliche Kompensationsversuch für diese Diskrepanz erfahren.

All das ist nur die für den Lehrer spezifische Gestalt eines Phänomens, das in seiner Allgemeinheit der Soziologie bekannt ist unter dem Namen der déformation professionelle. In der imago des Lehrers wird aber die déformation professionelle geradezu die Definition des Berufes selbst.

Th. W. Adorno, Tabus über den Lehrerberuf, S. 493, Neue Sammlung 5 (1965), S. 487-498

2 . DAS ABENTEUER DES GYMNASIALLEHRERS

In Freising lebte ein Professor,
Der nicht aus Zufall Josef hieß;
Nein, er verdient den Namen besser
Durch alles, was er unterließ.

Ein Philolog und deutscher Gatte,
Kannt' er die Liebe nur als Pflicht,
Die Zweck zur Volksvermehrung hatte,
Doch keine andern Reize nicht.

Nun hörte er von den Kollegen,
Wie man in München sich ergötzt.
Er war schon im Prinzip dagegen,
Und war im Vorhinein verletzt.

Er suchte gleich in diesen Bildern
Den eigentlichen Wesenskern,
Um sie mit Abscheu dann zu schildern;
Denn alles andre lag ihm fern.

Doch als er sich damit befaßte,
Beschloß er auch, dorthin zu gehn,
Um dieses Treiben, das er haßte,
Sich einmal gründlich anzusehn.

Und so kam Josef an die Stätte,
Wo Bacch- und Venus sich vereint,
Wo unsre Scham - wenn man sie hätte -
Am Grabe unsrer Unschuld weint.

An hundert hochgewölbte Büsten
Umtanzen uns und drängen her,
Und will man *hier* sich recht entrüsten,
So sieht man *dort* schon wieder mehr.

Die Sittlichkeit hier ist nur Fabel,
Und jeder merkt, hier weilt sie nie.
Das Auge schweift bis an den Nabel,
Und weiter schweift die Phantasie.

Ein Rausch kommt über Josefs Sinne,
Und ihn ergreift ein Schönheitsdurst.
Mit einmal sind ihm deutsche Minne
Und deutsche Treue ziemlich wurst.
Er stürzt sich in die Freudenwoge
Und fragt ein Mädchen: „Willst auch du?"
Sie sagt: „Sie sind wohl Philologe?
Man kennt's am abgelatschten Schuh;

In Ihrem Barte hängen Reste
Von Linsen und von Sauerkohl!
Ich danke Ihnen auf das beste,
In mir - da täuschen Sie sich wohl?"

Mein Josef konnte es nicht fassen,
Was seiner Tugend widerfuhr;
Er wollte sich herunterlassen -
Und dem Geschöpf mißfiel es nur!

Schon fühlt er Ekel vor dem Treiben
Und fühlt' sich von Moral umweht;
Man kann ja niemals reiner bleiben,
Als wenn ein Mädchen uns verschmäht.

Indessen war im Schicksalsfügen
Für Josef Härtres aufgespart.
Er stürzte nochmal ins Vergnügen
Und kämmte vorher seinen Bart.

Das zweite Mädchen - angesprochen -
Hatt', etwas minder preziös,
Mit manchem Vorurteil gebrochen
Und sagte bloß: „Ach, Sie sind bös!"

Sie hatte einen, der bezahlte,
Er hatte einen Domino,
Mit dessen Gunst er sichtlich prahlte,
Und beide waren herzlich froh!
Wie ein Moralprinzip verschwindet
Selbst aus dem stärksten Intellekt,
Wenn man ein hübsches Mädchen findet
Und eine Flasche guten Sekt!

Auch Josef wußte dies erfahren,
Und an sich selbst sah er die Spur
Der ewig gleich unwandelbaren,
Das All beherrschenden Natur.

Schon wollt' er sich im Walzer drehen
Und sucht' im Tanze den Genuß;
Doch wußte er sich eingestehen,
Daß man auch dieses lernen muß.

Er mühte schwitzend sich im Kreise,
Er drehte sich nach rechts und links,
Versucht's auf die und andre Weise
Und fand's unmöglich schlechterdings.

Er wußte zwar von den Hellenen,
Wie man im Auftakt sich bewegt,
Doch lernt' er leider nicht bei jenen,
Wie man das Schwergewicht verlegt.

Mit stattlichem Gelehrtenschuhe
Trat er dem Mädchen auf die Zeh';
Sie bat ihn flehentlich um Ruhe,
Denn auf die Dauer tut es weh.

So blieb ihm nichts mehr, als zu trinken;
Er war Germane, und er trank
Und durft' in Seligkeit versinken
Mit seinem Mädchen, und versank.

Er dacht' an Bacchus und Tribaden,
Wie so der Wirbel um ihn schwoll;
Schon fühlte er die zarten Waden,
Und wurde glücklich, - wurde voll.

Es jauchzt um ihn mit gellen Tönen,
Ein jeder Busen atmet wild,
Die Haare lösen sich der Schönen,
Und immer wilder wird das Bild.

So hat es Juvenal beschrieben!
So hat es Martial geschaut!
Ein Prosit allen, die sich lieben!
Und Evoë für jede Braut!

Was ist Moral! Nur eine Blase,
Steigt kränklich im Gehirne auf.
Die Sünde kommt uns in die Nase
Und nimmt von selber ihren Lauf.

Et cetera! So ging es weiter.
Was hilft die Philologenzunft!
Auch Professoren werden heiter
Und werden wild in ihrer Brunft.

Nach so viel Sekt und Süßigkeiten
Schmeckt uns die Weißwurst und das Bier.
Der Abschluß ist das Heimbegleiten
Für jedes Paar. Warum nicht hier?

Auch Josef saß in einem Wagen
Und fühlte, wie an ihn sich preßt',
Was hier nicht unbefangen sagen,
Doch sich sehr einfach denken läßt.

Er fühlte seine Pulse hämmern,
Doch wußt' er nicht, was sonst geschah;
Denn seinen Sinn umfing ein Dämmern,
Daß er nichts mehr Genaues sah.

Er stolpert hastig über Stiegen
'Und fällt auch irgendwo ins Bett,
Und muß sehr lange darinnen liegen -
Das übrige war wundernett.

Er hat die Zeit bis abends sieben
Bei diesem Mädchen zugebracht,
Und fuhr alsdann zu seinen Lieben
Nach Freising etwa um halb acht.

Als er daheim nun angelangte,
War er von solcher Müdigkeit,
Daß seine Frau um ihn sich bangte;
Sie macht' das Bett für ihn bereit.

Und Josef hat sich ausgezogen
Und sprach, daß er erkältet sei,
Und hat noch dies und das gelogen,
Denn seine Frau frägt vielerlei.

Daß Lügen kurze Beine tragen,
Das zeigte sich hier wunderbar;
Denn Josef ward so ganz geschlagen,
Daß hier für ihn kein Ausweg war.

Er trug - da gibt es kein Entrinnen
Und kein Erklären so und so -
Er trug aus duftig weißem Linnen
- Das Höschen seines Domino -

Ludwig Thoma, Gesammelte Werke, Bd. 8,
München 1956, S. 36-40

Weitere Literatur:

In seinem kuriosen Werk „Magister, Oberlehrer, Professoren. Wahrheit und Dichtung in Literaturausschnitten aus fünf Jahrhunderten“ (Nürnberg 1908) hat *Dr. Eduard Ebner* über zweihundert Titel zum Beleg seiner These „herbeigezogen“, daß nämlich der Lehrer und Gymnasialprofessor seit fünfhundert langen Jahren in Romanen und Erzählungen immer wieder als der ungerechte, unzufriedene, unglückliche Unmensch dargestellt werde - was er doch gar nicht sei! Trotz dieses etwas mageren Fazits ist Dr. Ebners Kollektion fast aller Schul- und Lehrergeschichten bis 1900 für den ernsthaften Forscher unentbehrlich. (Siehe auch *ders.*: Der „Professor“ in der modernen deutschen Literatur. Zeitschrift für den deutschen Unterricht 21 [1907], S. 349-370) Literarische und nichtliterarische Hinweise gibt *Kurt Bauerhorsts* Stoff- und Motivgeschichte der deutschen Literatur (Berlin 1932), die 1976 von *Franz A. Schmitt* weitergeführt worden ist.

Aus neuerer Zeit sei auch *Martin Gregor-Dellins* Sammlung „Vor dem Leben. Schulgeschichten von Thomas Mann bis Heinrich Böll“ (München 1965) erwähnt, wo z. B. Rainer Maria Rilkes „Die Turnstunde“, Alfred Döblins „Antigone“, Klaus Manns „Die Jungen“, Gabriele Wohmanns „Sie sind alle reizend“ und Heinrich Bölls „Daniel der Gerechte“ wiederabgedruckt sind.

Hier seien noch kurz ein paar ältere und neuere Erscheinungen auf dem deutschsprachigen Büchermarkt aufgezählt. Die alphabetische Auswahl ist zufällig und offenbar begrenzt durch die beschränkte Leseerfahrung dieses Autors: *Thomas Bernhard*: Die Ursache (Salzburg 1975). *Emil Ermatinger*: Jahre des Wirkens (Frauenfeld und Leipzig 1945 ; aus der Sicht des Lehrers). *Otto Ernst*: Semper der Jüngling (Leipzig 1908). *Ders.*: Flachsmann als Erzieher. Eine Komödie (Leipzig 1901). *Barbara Frischmuth*: Die Klosterschule (Salzburg 1978). *Gerd Gaiser*: Schlußball (München 1958). *Curt Goetz*: Die tote Tante. *Ders.* : Das Haus in Montevideo (Berlin-Grunewald 1972). *Günter Grass*: Katz und Maus (Neuwied 1961). *Ders.* : Kopfgeburten oder die Deutschen sterben aus (Neuwied 1980). *Max Halbe*: Jugend. Ein Liebesdrama in drei Aufzügen (Berlin 1893). *Peter Handke*: Der Chinese des Schmerzes (Frankfurt/M. 1983). *Ludwig Harig*: Der kleine Brixius (München 1980). *Gerhard Hauptmann*: Michael Kramer. Hanneles Himmelfahrt. Kollege Crampton. Professor Fleming. Dorfschulmeister Hendel (alle in Sämtl. Werke, Hrsg. H.-G. Hass). *Ernst Jünger*: Die Zwille (in Sämtl. Werke, Bd. 18, Stuttgart 1983). *Erich Kästner*: Das fliegende Klassenzimmer (Stuttgart 1933). *Franz Kafka*: Der Prozeß, Kap. 5: „Der Prügler“ (siehe auch Brechts „Steißbeintrommler“). *Hermann Kant*: Die Aula (Berlin 1965). *Werner Klose*: Reifeprüfung (Stuttgart 1960, 1976). *Alexander Kluge*: Der Pädagoge von Klopau (S. 64 f. in „Lebensläufe“ Frankfurt/M. 1974). *Karl Kraus*: An einen alten Lehrer (i. e. Henricus Stephanus Sedlmayer; in Werke, Bd. 7, S. 68ff., München 1959). *Henning Kuhlmann*: Klassengemeinschaft. Über Hauptschüler und Hauptschullehrer (Rotbuch 131). *William Setchel Learned*: The Oberlehrer. A Study of the Social and Professional Evolution of the German Schoolmaster (Cambridge 1914; enthält interessante alte Bibliographie, pp. 146-150). *Siegfried Lenz*: Deutschstunde (Hamburg 1968). *Fritz Müller-Partenkirchen*: Kaum genügend. Schulgeschichten (Leipzig 1928). *Gerhard Prause*: Genies in der Schule. Legende und Wahrheit über den Erfolg im Leben (Düsseldorf 1974, Reinbek 1976). *Wilhelm Raabe*: Horacker. Der Hungerpastor. Abu Telfan. Der Dräumling. Schulmeisterlein Haas. Et passim. *Emil Reikke*: Der Lehrer in der deutschen Vergangenheit (15.-18. Jhdt.; Leipzig 1901). *Hans Reimann*: Das Paukerbuch. Skizzen vom Gymnasium (Hannover und Leipzig 1922). *Joachim Ringelnatz*: Mein Leben bis zum Kriege (Berlin 1931). *Horst Rumpf*: 40 Schultage. Tagebuch eines Studienrates (Braunschweig 1966). *Peter Schneider*: . . . schon bist du ein Verfassungsfeind. Das unerwartete Anschwellen der Personalakte des Lehrers Kleff (Berlin 1975). *W. K. Schweickert*: Tatort Lehrerzimmer (Halle 1964). *Alexander Spoerl*: Memoiren eines mittelmäßigen Schülers (München 1950). *Heinrich Spoerl*: Die Feuerzangenbowle. *Thomas Valentin*: Die Unberatenen (Hamburg 1968). *Ders.*: Jugend einer Studienrätin (Düsseldorf 1974). *Ders.*: Schulzeit (in „Liebesgeschichte“ , Düsseldorf 1980). *Jakob Wassermann*: Engelhart oder Die zwei Welten (München 1973). *Harald Wieser*: Schulkampf (Rotbuch 118). *U. Zimmermann* und *Chr. Eigel*: Plötzlich brach der Schulrat in Tränen aus. Verständigungstexte von Schülern und Lehrern (Frankfurt/M.1980). *Arnold Zweig*: Bennarône (München 1909).

Unter den zahlreichen Fachzeitschriften sei hier nur die „Neue Sammlung“ genannt und als repräsentativer (?) Zeitungsartikel: „Dann machen wir Sie fertig“ von Professor Rainer Winkel in „DIE ZEIT“ Nr. 51, vom 23. Dezember 1983.

Es gibt keinen Grund anzunehmen, daß Lehrer und Schule

in anderen Ländern und Literaturen eine geringere Rolle spielen. In Japan ist z. B. *Natsume Sosekis* „Botchan“ 1904 geschrieben, immer noch der populärste Lehrerroman, dessen englisches Pendant *James Hiltons* „Good-bye, Mr. Chips“ von 1934 sein dürfte. *William M. Thackerays* „The History of Pendennis“ (rev. 1864) war *Wilhelm Raabes* Favorit, und auch *Charlotte Brontë*, selbst mit „Jane Eyre“ und „Le Professeur“ in unserem Genre vertreten, hielt große Stücke auf den Autor von „ Vanity Fair“. Heutige Leser denken wohl eher an *Charles Dickens* und Nickolas Nicklebys Lehrer Mr. Wackford Squeers, W. Somerset Maughams „ Of Human Bondage“ oder *James Joyces* (d. i. Stephens) Schulerfahrungen in „A Portrait of the Artist As a Young Man“.

Aus der französischen Literatur seien nur *Alphonse Daudets* „Le Petit Chose“ (1868), J*ean Jacques Rousseaus* „Emile“ (1762) und *Michel de Montaignes* „Essais“ (1580) genannt.

Weniger geläufig ist uns heute *Marcus Fabius Quintilians* „Institutio Oratoria“ in der u. a. von den Pflichten des Lehrers die Rede ist (Quintilian war seit 68 v. Chr. selbst Lehrer in Rom und Gründer einer öffentlichen Schule). Der heilige *Augustinus* schreibt in seinen „Confessiones“ über die Erziehung eines Heiligen, und schon vor Sokrates' Zeit skizziert *Confucius* den idealen Lehrer.

IV Kapitel

DER DEUTSCHE PROFESSOR PRIVAT UND PRIVATISSIME

Theobald: Ist nicht zu Haus Zeit Bänder zu binden, Knöpfe zu knöpfen? Unmaß, Traum, Phantasien im Leib, nach außen Liederlichkeit und Verwahrlosung.
Luise: Ich hatte eine feste Doppelschleife gebunden.

Carl Sternheim, Die Hose, I,1

1. DIE PROFESSORENFRAU

Faust:
Ich bin ein Deutscher und Gelehrter,
Und die *beobachten* auch in der Hölle,
Auch in dem Schoß von Gottes Herrlichkeit,
Und dann auch, wenn sie rasen!
- Jene Frau
Im kleinen Zimmer jener Stadt, die seufzend
Die Hände ringt - sie ist mein Weib - sie weint
Um mich -

Chr. D. Grabbe, Don Juan und Faust, III,2

In seinem Traktat über Lärm und Geräusch klagt Schopenhauer: „Hammerschläge, Hundegebell und Kindergeschrei sind entsetzlich; aber der rechte Gedankenmörder ist allein der Peitschenknall.“ Ebenso heftig verabscheut Nietzsche laute Dinge: „Man erkennt einen Philosophen daran, daß er drei glänzenden und lauten Dingen aus dem Weg geht, dem Ruhm, den Fürsten und den Frauen: womit nicht gesagt ist, daß sie nicht zu ihm kämen.“

Tatsächlich hat Schopenhauer später in Frankfurt nur noch

seinen Hund einen Freund genannt, und der Ruhm ist zu beiden, Schopenhauer und Nietzsche, doch noch gekommen. Aber die Frauen mit ihrem ganz eigenen Lärm? Nietzsche, so will's die Überlieferung, hat den Peitschenknall als begleitende Maßnahme bei jedem Gang zu einem Weibe empfohlen, und auch Schopenhauer hat sich seinen Ruf als misogyner Gelehrter durch einschlägige Urteile rechtens erworben und, wie Nietzsche, unglückliche Erfahrungen gemacht bei nur wenigen Versuchen.

Unter Professoren und Philosophen jedoch, so Nietzsche, sei der Ledige die Regel, nicht die Ausnahme. Ein Philosoph „perhorresziere" die Ehe als Verhängnis, Hindernis und Fessel:

> Welcher große Philosoph war bisher verheiratet? Heraklit, Plato, Descartes, Spinoza, Leibniz, Kant, Schopenhauer - sie waren es nicht; mehr noch, man kann sie sich nicht einmal denken als verheiratet. Ein verheirateter Philosoph gehört in die Komödie, das ist mein Satz: und jene Ausnahme Sokrates, der boshafte Sokrates hat sich, scheint es, ironice verheiratet, eigens um gerade diesen Satz zu demonstrieren.

Auf der anderen Seite hat der Naturwissenschaftler Professor Lichtenberg aus Göttingen in Briefen wiederholt seine Maxime uxorem esse ducendam: ein kluger Mann müsse ein Weib heimführen, publik gemacht, und dies sei um so vorteilhafter, je hübscher die Erwählte sei:

> Die schönen Weiber werden heutzutage mit unter die Talente ihrer Männer gerechnet.

Sudelbücher II, S.189, 82

Wie Hegel für seine zukünftige Frau Marie von Tucher Liebesgedichte gemacht hat, so auch schon der Wittenberger Professor Taubmann für seine Frau Elisabeth:

Haec pietas virtute Tua mihi carior omni est
Quam Deus in fibras sevit, Elisa, Tuas.
(Teurer als all' Deine Tugend ist mir Deine fromme Gesinnung, Welche, Elisa, Dir Gott tief in den Busen gesenkt.)

So ist also das Verhältnis des deutschen Professors zu den Frauen je nach Temperament, Vorbildung und Mannesmut sehr verschieden, weil weder die Frauen noch die Professoren ganz einfach in übersichtliche Kategorien einzufangen und zu berechnen sind.

Damit unsere Rechnung mit diesen zwei empfindlichen Variablen nun doch glatt aufgeht und fair gelöst wird, lassen wir zuerst eine objektive und kritische Professorenstimme über die Professorenfrau zu Worte kommen, um dann die Musen um so freier über den Professor und die Frauen erzählen zu lassen.

DIE PROFESSORENFRAU

Es wäre undankbar zugleich und ungalant, wenn in einem umfangreichen Buch, welches dem deutschen Professor gewidmet ist, mit keinem Wort der Professorenfrau Erwähnung geschieht, die doch in so vielen Fällen weit mehr zu sagen hat und drastischer zu wirken pflegt, als der Professor selbst, der geduldige Ehegemahl. In der That ist der Professorenstand heute so glücklich, daß er ganz allein unter allen Berufsklassen nicht behandelt werden kann, ohne daß seinen Frauen dabei eine ehrenvolle Rolle zufällt. Wenn man sich auch fragen mag, wie es denn möglich sei, daß gerade Universitätsprofessoren, denen man gewöhnlich Verstand und Intelligenz nachrühmt, unter das Joch ihrer

Ehefrauen kommen können, so ist unzweifelhaft, daß es in erster Linie die geringe körperliche Ausbildung ist, welche viele Professoren erhalten, und die sie frühzeitig zu alten Männern macht, eine Erscheinung, die durch sitzende Lebensweise, fleißiges Studiren und mangelhaftes Verdauen beschleunigt wird. Das Durchschnittsweib aber (und Professoren haben selten etwas mehr als das Durchschnittsweib, wenn auch das mit goldenen Säcken ausstaffirte, öfters sogar wird ihnen etwas tief unter dem Durchschnitt zu Theil) klebt am körperlichen und vermag sich nicht in die geistige Sphäre vollständig zu erheben, und vom körperlichen zu abstrahiren; denn alle ihre psychischen Fäden fließen in Sinnlichkeit zusammen. Wie nun eine richtige Frau niemals von einem Opernsänger entzückt sein wird, bloß weil er herrlich singt, sondern nur dann, wenn er über körperliche Vorzüge gebietet, wie Niemann, Stegemann u. a., so wird sie auch niemals durch die höhere Intelligenz oder die Kenntnisse eines Mannes besonders erbaut werden, und nur dann von ihrem Mann ganz entzückt sein, wenn er auch körperlich ansehnlich ist. Ist er das nicht, und hat sie ein leidenschaftliches Temperament, so gilt ihr jeder feurige Student oder Fähnrich zweifellos mehr als ihr Gatte, dessen Ruhm in der Welt bekannt ist, und es braucht nicht daran erinnert zu werden, daß derartige Fälle von Liebschaften und Abenteuern in der akademischen Welt nicht ungewöhnlich sind.

Eine weniger leidenschaftliche Frau, besonders wenn sie im Gegensatz zu einem alternden oder physisch schwachen und heruntergekommenen Mann über einen kräftigen und lebensvollen Körper gebietet, wird ihr Übergewicht in andrer Weise auslassen, indem sie zunächst ihren Gatten unter das strenge Joch eines Pantoffelknechtes beugt. Da nun aber in Deutschland wenigstens und noch heute von der akademischen Welt in den Augen der Menge der Mann viel mehr gilt als die Frau, so kann die letztere nicht umhin, auch den unansehnlichen Mann als Folie zu benutzen, was besonders für das gesellschaftliche Leben zu einer Nothwendigkeit wird. Denn in Professorenkreisen pflegen die Frauen nicht ohne die Männer Gesellschaften zu besuchen, obschon auch in dieser Beziehung die Leidenschaft des Weibes und sein Vergnügungseifer eine Änderung jenes Princips herbeizuführen begonnen haben, indem von manchen schon ganz reducirten Männern die Frauen allein in Gesellschaften zu kommen pflegen. Die herrschende Frau schleppt also den beherrschten Mann nicht nur vom frühen Morgen an zum Markt, wo sie vielleicht gemeinschaftlich Hühner einkaufen, oder in die Läden, vor denen er promenirend auf die beschäftigte Gattin, welche sich die langweiligen Stunden des Tages kürzen will, gehorsam wartet, sondern sie schleppt ihn täglich in Gesellschaft und zwingt ihn mit üblen Reden, Hohn und Spott oder auch Schmeichelworten gefügig zu sein. In vielen Fällen wird gewiß der von des Tages Arbeit ermüdete Gatte lieber ins Bett gehen oder auf dem Sopha eine Pfeife rauchen oder ein Buch lesen wollen, als wieder in die schwarzen Kleider unterzutauchen und das magenbelastende Vergnügen der akademischen Abfütterung durchzukosten, aber es hilft ihm nichts: die Gebieterin wünscht es, und damit ist es erledigt.

Auf diese Weise sind heute in akademischen Abendgesellschaften stereotype Figuren der schläfrige, überaus langweilige Professor, der mit schlotternden Knieen einhergeht und am liebsten ein stilles Eckchen aufsucht, in dem er unbemerkt etwas nippen kann, und die lebhaft geröthete, laut schreiende Ehehälfte, deren

Stimme alle Zimmer durchdringt, die jeden anredet, mit jedem etwas zu sprechen weiß - wenn es auch Unverstand ist - jede Minute vor Mitternacht als ein Geschenk vor der Hinrichtung betrachtet, welches ihre hysterische Aufgeregtheit steigert, bis die Trennungsstunde die verdrißliche wieder an den Arm des halb schlafenden Gatten kettet, mit dem sie dann stumm, gähnend und von der stundenlangen Anspannung nun gleichfalls ermüdet das Ruhelager aufsucht, von welchem sich der Gemahl am nächsten Morgen nicht erfrischt und mit einer eigenthümlichen, an Kopfweh erinnernden Hohlheit in seinem Gehirn erhebt.

Während nun auf der einen Seite der gesellschaftliche Ton durch diejenigen Frauen, welche im Hause ein absolutes Regiment führen, in der Weise verschlechtert wird, daß feinere Beamten- oder Offiziersfrauen, wenn sie zufällig stille Beobachter solcher Scenen werden könnten, ein Grauen vor diesen aufgeregten und schreienden Professorenfrauen bekommen würden und nicht selten die Erinnerung eines tönenden Fischmarktes an dem Gestade der Elbe oder der Havel in ihrer Seele dämmernd aufsteigen würde, ist naturgemäß der Schaden, welchen der Professor selbst durch die täglichen und ermüdenden Gesellschaften der Wintersaison davonträgt, ungleich größer und bedenklicher. Denn je weniger sein Körper Widerstand zu leisten vermag, um so schlimmer wird die Wirkung auf Körper und Geist sein, und die Vorlesungen werden ebenso die Spuren der letzten Gesellschaft und der halb durchwachten Nacht verrathen, wie das wissenschaftliche Arbeiten sehr bald auf den Gefrierpunkt herabsinkt. Doch wird an denjenigen Hochschulen, auf denen ein derartiger Strudel den Winter über herrscht, auf gelehrtes Arbeiten überhaupt kein Gewicht gelegt, im Gegentheil wer-

den diejenigen leicht verdächtigt, schlecht behandelt und angefeindet, welche sich von einem solchen unprofessorenmäßigen Leben abwenden und in der Einsamkeit ihres Zimmers gelehrten Arbeiten obzuliegen vorziehen. An solchen Hochschulen vermögen schon die jüngsten Füchse diejenigen Professoren namhaft zu machen, denen der gesellschaftliche Kater nicht mehr die Vorbereitung zu einer Vorlesung ermöglicht und während derselben sich in auffallender Störung des Gedankenzusammenhanges oder des Redeflusses kenntlich macht.
Eine sehr charakteristische Erscheinung in solchen Verhältnissen ist nun, daß diejenigen Frauen, welche ihre Gatten in strengem Unterthänigkeitsverhältniß erziehen, sich nach wenigen Stunden kennen und zusammenfinden, eine mächtige Liga schließen, mit welcher sie dominirend auf alle geselligen Einrichtungen der Hochschule einzuwirken trachten und besonders diejenigen Ehemänner mit dem Bannstrahl belegen, welche sich nicht zu der Stellung eines Pantoffelhelden eignen, und deshalb auch ihr Regiment nur mit einem kleinen Lächeln der Verachtung begrüßen. Bald erfüllen sie das Städtchen mit dumpfen Gerüchten über eine arme Frau, die von ihrem Manne roh behandelt wird, und indem sie das verletzte Geschlecht zu rächen suchen, in Wahrheit aber nur für die verletzte Herrschsucht und Eitelkeit eintreten, bringen sie die festen Ehemänner allmählich in den Ruf von Tyrannen oder Scheusalen. Diese, die in andern Verhältnissen große Liebhaber des weiblichen Geschlechts gewesen waren, bemerken bald eine auffallende Kühle der thörichten und klatschhaften Professorenfrauen, und vielleicht erst nach Jahren wird ihnen bekannt, in welcher Weise sie von den im akademischen Leben tonangebenden Klatschschwestern an-

geschwärzt worden sind, denen dann die schlotterbeinigen Ehemänner bereitwillig Gehör geschenkt haben. Diese Liga der Mannweiber erringt in kurzer Zeit die Mitgliedschaft in den zahlreichen Comites und Ausschüssen, welche überall als Ersatz für die Langweiligkeit kleiner Universitätsdörfer sich herausgebildet haben, und es dauert nicht lange, so wird das akademische Leben von ihnen gelenkt, geregelt und mit scharfer Candarre gezügelt. Sie arrangiren die Maskenbälle, die Kinderfeste, die Spaziergänge und Pikniks, sie belohnen gehorsame Männer und bestrafen die unverbesserlichen und unfügsamen, indem sie deren Kinder zum großen Schmerz der übergangenen Väter nicht einladen oder sonstige Blitzstrahle schleudern, sie segeln auf den schmutzigen Straßen des Dorfes wie Prinzessinnen von Monaco, sie führen das große Wort in Concerten, in denen sie zu spät zu kommen und sich sehr laut zu unterhalten pflegen, sie sind von Einfluß auf die Wahl der Redner für die populären Vorträge, und kurz gesagt, es giebt nichts, wo ihr Wort nicht allgebietend durchschlagen könnte.

So weit wäre nun alles ganz recht, und nur der Culturhistoriker hat ein Interesse daran, zu sehen, in welch seltsamer Verirrung sich derjenige Stand heute bewegt, der durch die hervorragende Intelligenz der Männer am meisten berufen ist, für Gediegenheit, Aufklärung, Sitte, Anstand und gesellschaftlichen Takt zu sorgen und damit allen übrigen ein Muster zu sein, während er heute besonders an kleineren Hochschulen nicht selten das Schauspiel einer Krähwinkelgesellschaft darbietet, welche von einigen halbgebildeten, ihre Männer unterjochenden, sich theilweise pöbelhaft benehmenden und in größeren oder feineren Verhältnissen unerträglichen und lächerlichen, zum Gesindel gerechneten Weibern regiert wird. Aber die bedenklichen Folgen dieser Erscheinung liegen auf einer ganz anderen Seite, und sind so geartet, daß alle Regierungen dringende Veranlassung hätten, ihre Aufmerksamkeit auf diese Auswüchse moderner Cultur zu richten und mit Strenge für Abhilfe Sorge zu tragen.

Ein Weib, welches einmal die Süßigkeit einer unbedingten und unbeschränkten Herrschaft kennen gelernt hat, pflegt in der Regel nicht so schnell befriedigt zu sein und gemäß der weiblichen Leidenschaft nach Höherem zu streben, bis es sich alles unterthan gemacht hat. Es ist daher heute eine gewöhnliche Erscheinung, daß solche Frauen auch Einfluß auf die persönlichen Angelegenheiten der Universitätslehrer zu gewinnen suchen, indem sie an derselben Hochschule bald dem einen ihre Sympathie, dem andern ihre Antipathie zuwenden und in diesem Sinne den schwachen Ehemann zu wirken zwingen, bald auch die Berufungen zu ihrem Ressort machen und für die Anstellung von Männern ihrer Freundschaft oder Verwandschaft Sorge tragen. Je mehr es ausgemacht ist, daß schwächliche und in Knechtschaft schmachtende Ehemänner über alle Angelegenheiten der Facultäten und des Senats ihren Frauen Beichte abhalten müssen, ja, um so wahrscheinlicher der allgemein verbreitete Zug der Sage ist, daß solche Ehemänner nicht selten Abends vom Schlafgemach ausgesperrt werden, wenn sie nicht reuevoll alles bekennen zu wollen versprechen, um so sicherer ist es, daß diese Ehemänner nur denjenigen Docenten avançiren lassen, für den ihre Frau eingenommen ist, und denjenigen mißhandeln, von dem sie wissen, daß sie damit ihrer Frau einen Gefallen thun, und dafür mit einem wärmeren Küßchen oder Pätschelchen beschenkt weren. Sollte nicht in solchen Fällen eine Facultät ge-

schlossen auftreten und die Regierung von solchem Gebahren eines Ordinarius verständigen? Ja, es ist soweit auf deutschen Hochschulen gekommen, daß Frauen sich nicht nur nicht entblödet haben, an der eigenen Hochschule durch Agitiren, Herumgehen, Ausposaunen der guten Eigenschaften für einen zu befördernden Docenten thätig zu sein, und umgekehrt durch entgegengesetzte Mittel gegen einen andern zu wirken, sondern daß sie auch für die Anstellung nach auswärts Briefe geschrieben, Gutachten eingeholt und davon sogar öffentlich kein Hehl gemacht haben. Dies ist beispielsweise in einem vielbesprochenen Fall an einer süddeutschen Hochschule geschehen, und die dortige Professorenwelt ist nicht einmal so aufgeklärt gewesen, die ungeheure Lächerlichkeit dieser Thatsache zu begreifen, ja manche wollten sogar wissen, daß sehr einflußreiche Persönlichkeiten dieser weiblichen Thatkraft nicht abhold entgegengestanden seien. Ist es dann ein Wunder, wenn solche Weiber sich neben ihrem Mann über die Bedeutung von Universitätslehrern streiten, daß sie während eines Diners über die pädagogische oder wissenschaftliche Thätigkeit dieses oder jenes Lehrers absprechen, während der arme Gatte mit gesenkten Augen dasizt, ohne das leicht verschließbare Mündchen zu öffnen? Ist es ein Wunder, daß die jungen Docenten, denen die Macht einer solchen Professorenfrau zu Ohren gekommen ist, im Stande wären, ihre Strümpfe zu stopfen oder den Besatz des Unterrockes anzunähen, wenn ihnen dadurch die Hoffnung auf Beförderung an der Hochschule winkt?
Wieder eine andre Folge dieser Entartung der heutigen Professorenfrau betrifft die Kindererziehung. Bei einer Frau, deren Leben sich ausschließlich um Geselligkeit, Besuche, Visiten, Gesellschaft, Ausflüge dreht, pflegt

das eigene Heim einer argen Vernachlässigung preisgegeben zu sein. Sind mehrere Kinder da, so werden sie schon frühzeitig allein gelassen oder dem Milchmädchen oder Milchbuben übergeben, während die Mutter in Kaffevisiten sitzt und für die Förderung des städtischen Personalklatsches thätig ist. Die Knaben werden frühzeitig als erwachsene betrachtet, und da den Eltern viel mehr daran zu liegen scheint, daß jene an Gesellschaften Theil nehmen, und sich für Bordeaux oder Rheinwein entschließen, sich recht amüsiren, möglichst zeitig Tanzstunde nehmen, um im Verkehr mit dem weiblichen Geschlecht bewandert zu werden, als daß sie ihre Schulaufgaben machen, so sinken derartige Professorenknaben zu einem förmlichen Schülerproletariat herab, mit welchem Direktor und Lehrer ihre größte Noth haben, und dies um so mehr, je größer die häusliche Verwöhnung und Unerzogenheit verstärkte Unehrerbietigkeit gegen die Lehrer ist. Gehen die Eltern dieser Art täglich in Gesellschaft, und vorher noch einige Stunden in einen Biergarten, so sind die Kinder halbe Tage lang sich selbst überlassen und üben sich im Unfug jeglicher Art. Leisten sie in der Schule nichts, so sind natürlich die Lehrer daran Schuld und nicht die Eltern. Zu verwundern ist nur, daß nicht alle so erzogene Knaben frühzeitig zu Buben oder Galgenschwengeln sich entwickeln, was heute doch nur in einzelnen Ausnahmen stattzufinden pflegt. Auch das sehen die armen, hülflosen Ehemänner mit an und segeln mit ihren Frauen von einem Vergnügen zum andern, während die Kinder der Verwahrlosung anheimfallen.
Das ist die Professorenfrau der Gegenwart, die Frau, die an der Hochschule eine Rolle spielt, auf der Straße von jedermann gekannt und von den jungen Docenten ausgezeichnet wird, die man in Gesellschaften schreien

hört und alle Maskenbälle arrangiren sieht! Nicht jene Professorenfrau, die daheim ängstlich um ihre Kleinen bemüht und auf das Auskommen mit dem knappen Wirthschaftsgeld bedacht ist, und aus Sorge um das Wohl und Gedeihen ihrer Kinder zahlreiche Gesellschaften absagt, die dem ermüdeten und angestrengten Gatten mit freundlichem Gesicht den Kaffee in das Zimmer stellt, und deren größtes Glück das Daheim und ihr Familienkreis bildet! Diese Frauen bleiben in der akademischen Welt unbekannt und verachtet. Gewiß werden auch solche Frauen nicht aussterben, so lange unser deutsches Vaterland dauern wird, aber ihre Zahl wird vielleicht immer geringer werden, je mehr das Professorenthum aus der eigentlichen Sphäre der häuslichen Arbeitsamkeit heraustreten und ausschließlich in Geselligkeit und Vergnügungen seine Befriedigung finden wird.

Aus Prof. Dr. Joh. Flach,
Der deutsche Professor der Gegenwart,
Leipzig 1886

2. DER PROFESSOR UND DIE FRAUEN

Zephyre schütteln auf sie viel süße Ströme von Düften:
Die wollen hüpfen hinauf an manche Rosenbrust,
Und fachen Begierden an nach - größerer Lust bey der Lust.

Wilhelm Heinse, Werke III,1, S.179

Es scheinet eine boshafte List der Mannspersonen zu sein, daß sie das schöne Geschlecht zu diesem verkehrten Geschmacke (sc. an der Wissenschaft) haben verleiten wollen. Denn wohl bewußt ihrer Schwäche in Ansehung der natürlichen Reize desselben, und daß ein einziger schalkhafter Blick sie mehr in Verwirrung setze als die schwerste Schulfrage, sehen sie sich, so bald das Frauenzimmer in diesen Geschmack einschlägt, in einer entschiedenen Überlegenheit und sind in dem Vorteile, den sie sonst schwerlich haben würden, mit einer großmütigen Nachsicht den Schwächen ihrer Eitelkeit aufzuhelfen.

Ein Frauenzimmer ist darüber wenig verlegen, daß sie gewisse hohe Einsichten nicht besitzt, daß sie furchtsam und zu wichtigen Geschäften nicht auferlegt ist etc. etc., sie ist schön und nimmt ein und das ist genug. Dagegen fordert sie alle diese Eigenschaften am Manne und die Erhabenheit ihrer Seele zeigt sich nur darin, daß sie diese edlen Eigenschaften zu schätzen weiß, so ferne sie bei ihm anzutreffen sein. Wie würde es sonsten wohl möglich sein, daß so viele männliche Fratzengesichter, ob sie gleich Verstand besitzen mögen, so artige und feine Frauen bekommen könnten.

Der Deutsche (sc. Professor) ist, so wie in aller Art des Geschmacks, also auch in der Liebe ziemlich methodisch, und indem er das Schöne mit dem Edlen verbindet, so ist er in der Empfindung beider kalt genug, um seinen Kopf mit den Überlegungen des Anstandes, der Pracht und des Aufsehens zu beschäftigen. Daher sind Familie, Titel und Rang bei ihm so wohl im bürgerlichen Verhältnisse als in der Liebe Sachen von großer Bedeutung.

Aus I. Kant, Beobachtungen über das Gefühl des Schönen und Erhabenen,1764, Bd. 2, Darmstadt 1975, S. 853, 866, 874 f.

Unter den nachgelassenen Papieren Professor Bummelböhms finden sich viele verstreute erotische Stücke, die er, teilweise in Versen, in Anlehnung an seine Vorbilder (Homer,

Wilhelm Busch) seit seinem achten Lebensjahre verfertigt hatte.

Im relativ zarten Alter von 13 Jahren schrieb er einen Kommentar zu Thomasius' *'De Concubinatu* sowie eine Parodie auf *„Professor Faustus beim Anblick des Bettes Gretchens"* und mit 14 veranstaltete er, zum Schrecken seines Lateinlehrers, eine Aufführung der plautischen Asinaria, in der er selbst den alten Demaenetus spielte.

Die im folgenden wiedergegebene Auswahl aus den „Lästereien in wechselndem Versmaß" (Bummelböhms Worte) betreffen unser Thema im engeren Sinne, den deutschen Professor und die Frauen, wenn sie nicht notwendig seine eigenen sein müssen. Aus editorischer Sicht schien es angebracht, die heute kaum noch gekannte Belesenheit Bummelböhms durch kurze Erläuterungen und Literaturhinweise aufzulokkern, damit dieser Schatz auch einem Gebildeten unserer Tage erschlossen werde.

Muse, erzähl mir vom deutschen Professor, wie er Bücher geschrieben,
Papers verfaßt und Pandekten, dem Teufel die Seele versprochen
Dafür, daß dieser ihm Ruhm und Beamtenbesoldung, ein Weib auch
Endlich besorge, Helenen verwandt oder Gretchen, egal, nicht
Gleich sind Geschmäcker bezüglich der Frauen; dicke und dünne,
Große und kleine, die Auswahl ist da, doch passend dem Manne
Muß sie doch sein, dem Gelehrten genehm, seiner Arbeit gewogen,
Häuslich, verständig und klug. Bewundrung zollt die geschickte

Frau Professor dem eitlen Gemahle; greif in die Fülle,
Göttin, Tochter des Zeus, auch uns davon zu erzählen.

Diese einleitenden Hexameter hat Bummelböhm dem Anfang der „Odyssee“ nachempfunden. Hinweise auf „Faust“ („dem Teufel die Seele versprochen“, „Helenen verwandt oder Gretchen“), auch auf Schillers Frauenbild („Häuslich, verständig und klug“) bestimmen den insgesamt spielerischen Ton.

Was wird wohl ein Professor denken,
Der seine Bücher nur studiert,
Doch nie vom Weiblichen probiert
Und seine Unschuld nicht verliert
Und selbst im Strandbad sich noch ziert,
Weil er sich fürchterlich geniert -

Was wird wohl ein Gelehrter denken,
Der seine Mutter nur verehrt,
Doch nie mit Töchtern nicht verkehrt
Und so sein Wissen nicht vermehrt:
Die Unschuld bleibt zwar unversehrt,
Doch sollte lernen auch, wer lehrt . . .

Sigmund Freud hat die Abstinenzfähigkeit deutscher Gelehrter in weniger anakreontische Prosa gefaßt:

Ein abstinenter Künstler ist kaum recht möglich, ein abstinenter junger Gelehrter gewiß keine Seltenheit. Der letztere kann durch Enthaltsamkeit freie Kräfte für sein Studium gewinnen, beim ersteren wird wahrscheinlich seine künstlerische Leistung durch sein sexuelles Erleben mächtig angeregt werden. Im allgemeinen habe ich nicht den Eindruck gewonnen, daß die sexuelle Abstinenz energische, selbständige Männer der Tat oder originelle Denker, kühne Befreier und

Reformer heranbilden helfe, weit häufiger brave Schwächlinge, welche später in die große Masse eintauchen, die den von starken Individuen gegebenen Impulsen widerstrebend zu folgen pflegt.

Gesammelte Werke (Hrsg. Anna Freud u. a.), Bd. 7, S.160

Als besonders lusthemmend beschreibt Freud, in der Folge Rousseaus, Goethes und anderer, die Mathematik, welche sich aber andererseits durch eine Überfülle sexueller Symbolik auszeichne: Aufrechte Säulen werden gleichschenkligen Dreiecken einbeschrieben, etc.

Ach, was muß man oft von bösen
Mädchen hören oder lesen:
Wie sie nach den Männern haschen
Nicht zu freien, nur zu naschen;
Flirten, Tanzen, Albernheiten
Sind noch ihre besten Seiten.
Kann es da noch wundernehmen,
Wenn die Männer sich nicht schämen,
Ihre Weibchen selbst zu machen,
Statuen Leben zu entfachen
Ihrem Bilde gleich, wie schon
Gott und bei Ovid Pygmalion?

Gesetzt in Wilhelm Buschscher Manier, finden wir hier den ersten Hinweis auf das Pygmalion-Motiv, das für das Liebesleben des Professors über Goethes „Faust", Wilhelm von Humboldt, Keller bis in unsere Zeit (G. B. Shaw) so kennzeichnend geblieben ist. Der locus classicus ist natürlich Ovid: „Metamorphosen X" Verse 243 bis 294, und bekanntlich war schon der Künstler Pygmalion von Schamlosigkeit, ja Unzucht und Gottlosigkeit (s. die Tochter der Propoetiden!) abgestoßen worden:

> *Weil er diese gesehen ihr Leben verbringen in Unzucht,*
> *Weil die Menge der Fehler ihn abstieß, die die Natur dem*
> *Weiblichen Sinne gegeben, so lebte Pygmalion einsam*
> *Ohne Gemahl und entbehrte gar lange der Lager-genossin.*

Wie er mit Venus' Hilfe und eigener glücklicher Kunst („feliciter arte") seine liebende Jungfrau doch noch findet, ist bekannt. Zur Wirkungsgeschichte vgl. A. Dinter, „Der Pygmalion-Stoff in der europäischen Literatur" (1979).

Tieck beschreibt in „Der Gelehrte"
Einen Prof. , der die verehrte
Scheue Maid am Herde küßt,
Wenn es auch die falsche ist:
Antoinettens runde Schnute
Wollt' er nicht, der herzensgute
Philologe . Doch Helene
Liebt und lehrt er, daß die Schöne
Korrekturen für ihn liest,
Woraus er den Nutzen nießt.

Bummelböhm beginnt seinen Zyklus Pygmalion-inspirierter Professorenportraits mit Joh. L. Tiecks „Der Gelehrte" (1827): Ein betagter, einsam im Oberstock ganz der klassischen Wissenschaft lebender Professor wird von einem lebenstüchtigeren Freund überredet, die Ehe mit der ältesten Tocher (Antoinette) seines Vermieters einzugehen. Da er jedoch als typisch zerstreuter Altphilologe Quintilian genauer kennt als die lieblichen Gesichter der Haustöchter, kommt es zu einer neckischen Verwechslung am Tage der Verlobung; doch die Geschichte endet zur allgemeinen Zufriedenheit aller Beteiligten. Sogar für Nachwuchs war es noch nicht zu spät.

Fing hier mit Quintilian
Eine Liebesheirat an,
So führt zu einem guten Schluß
Auch ein verlorner Tacitus.
Doch erfreulich ist es nicht,
Wovon Gustav Freytag spricht:

Nach Bielsteins ländlichem Haus begibt sich Doktor Felix;
Die Handschrift möchte er, die hier versteckt sein soll.
Er findet Ils', ein Weib, und hat die Nase voll
Von Tacitus und so: es findet sich auch gar nichts.
Wie er die Ils' nun lehrt, das Haus zu überwachen
(Und sie, sie macht sich gut!), da schickt der Fürst den beiden
Billets, bei ihm zu woh'n: er mag die Ilse leiden,
Professors sind ihm gleich, und das ist nicht zum Lachen.
Der Fürst erklärt sich ihr, doch Ilse flieht nach Haus -
Ein Wetter bricht herein, stürzt Regen nieder, Donner
Auf Brück' und Höhlengruft, wo Werner endlich wieder
Die liebste Ilse find't. So endet dieser Graus.

Der lange Roman „Die verlorene Handschrift" (1827) von Gustav Freytag enthält eine recht komplizierte Story von versuchter Manuskriptfälschung über geile Fürstenlust zu einem gemischten Happy-End: Der vor lauter Forschungsdrang blinde Gelehrte Doktor Werner Felix bekommt zwar seine Ilse unversehrt zurück, von der erhofften Tacitus-Handschrift jedoch lediglich die Einbanddeckel.

Bemerkenswert ist hier die dem Deutschen fremde Versform des klassischen Alexandriners.

Die Moral:
Ein Fürst, der ist nicht immer gut,
Wenn er das tut, was man nicht tut:
Die Frau von einem Untertan
Geht einen Fürsten gar nichts an.

Und ein Professor, der nicht hört
Und nicht auf seine Ilse schwört,
Verliert den Schatz, daß er am Schluß
Mit Deckeln vorlieb nehmen muß.

Ein anderer blinder Gelehrter, der neukantianische Professor der Philosophie Reinhold Latten, verliert nach zwanzigjähriger Ehe seine Kätta an deren Jugendliebe, den dionysischen Bildhauer Ulrich Huhl. In seinem süßsauren Roman voller Unwahrscheinlichkeiten, „Die Liebesschaukel" (München 1951), hat Stefan Andres viele saloppe Epitheta für „nachträgliche Weltschöpfer" bereit, die „behaupten, sie könnten sich am Schopf der eigenen Gedanken aus dem Nichts ziehen": Latten ist für den Rivalen der „Lahme Ritter vom Großhirn", eine „vertrocknete Denkbohne", ein „Sträfling des Lebens", ein „auserwähltes Alabastergefäß der Nüchternheit". Natürlich zieht ein so gezeichneter Narziß am Ende den kürzeren gegen Goldmund Ulrich; aber nicht ohne einen bleibenden Eindruck hinterlassen zu haben mit der nachdenklichen Erkenntnis: „Die Frauen sind für den autonomen Denker im besten Fall doch nur ein im Körperlichen verwurzelter Rest von Heteronomie."

Nicht immer sind Gelehrte alt,
Nicht immer ist ihr Körper kalt,
Selbst wenn er unterm Doktorhut
Mit kühlen Augen ganz so tut,
Und es woanders heftig wallt.

Ob Philolog und Bücherknecht,
Ob Denker oder kleiner Hecht,
Archivar und Skriptensammler:
Die Liebe macht auch ihn zum Rammler,
Kein Titel schützt vor Wollust nicht.

Bangemachen gilt es nicht
In Kellers feinem Sinngedicht.
Keller nennt den Helden Reinhart,
Und dieser ist von andrer Seinsart:
Nicht Philolog, nicht Archivar,
Nicht Goethen -, Newton stellt er dar:
Ein Wissenschaftler mit Labor!
Dem macht kein Mädchen etwas vor.

Gottfried Kellers „Sinngedicht" (1881) bildet einen Höhepunkt der Pygmalion-Literatur, insbesondere mit seiner Binnenerzählung „Regine", die „contra Auerbach" (so eine Arbeitsnotiz Kellers von 1851) geschrieben wurde und deren stoffliches Grundmotiv möglicherweise auf die Ehe des Professors Jacob Henle mit dem schönen Dienstmädchen Elise Egloff zurückgeht. Statt Auerbachs „Frau Professorin" (1846) ist vielleicht doch Immermanns „Der neue Pygmalion" das überzeugendere Gegenstück. Eine faszinierende Analyse der erotischen Symbolik gibt Herbert Anton in „Mythologische Erotik in Kellers „Sieben Legenden" und im „Sinngedicht"", Stuttgart 1970.

Reinhart plant nun den Versuch
(Denn nur Versuche machen klug!).
„Versuch und Irrtum" , sagt er sich,
„Sie sind das richtige für mich;
Wenn ich nur fleißig rumprobier,
Führt Venus sicher mich zu IHR.

Und währenddem vergeß ich nicht
Herrn Logaus frommes Sinngedicht:
Wie willst du weiße Lilien zu roten Rosen machen?
Küß eine weiße Galathee, sie wird errötend lachen!
Dies sei Bedingung, *beides* muß:
Erröten *und* Lachen, begleiten den Kuß."
Und jambisch schwingt er sich aufs Pferd,
Das gespornt wie ein Gaul-Anapäst galloppert.
Nach kurzem Ritt: Versuch begonnen;
Denn frisch gewagt ist halb gewonnen!
Die Zöllnerstochter küßt sehr gut
Und lacht. Erröten sie nicht tut.
Dieses war der erste Streich.
Doch der zweite folgt sogleich.
Die Pfarrerstochter wird geküßt,
Wird rot, wo sie auch lachen müßt.
Wir konzedieren notgedrungen,
Der die Versuch' nur halb gelungen.

Eine der Forderungen aus Logaus Distichon wird schon bei Ovid erfüllt (a. a. O.):

Die Jungfrau fühlte die Küsse,
Und sie errötete, sah, als empor zum Licht sie die scheuen
Lichter erhob, zugleich mit dem Himmel den liebenden Jüngling.

Herr Reinhart wär kein Induktör,
Wenn zweimal ihm schon alles wär.
Die dritte Maid ist ihm zu laut,
Als daß er sie zu küssen traut.
Den Kopf verlieren tut auch weh.
Ihr Name ist -: Miss Salome!
Auch hatte diese schöne Maid
Einschlägige Vergangenheit:

Am Ende des zweiten Kapitels des „Sinngedichts" macht Keller eine einsichtsvolle Bemerkung zur naturwissenschaftlichen Methodologie seines Helden Reinhart:

Fürs erste, sagte er zu sich selbst, ist der Versuch nicht gelungen; die notwendigen Elemente waren nicht beisammen. Aber schon das Problem ist schön und lieblich; wie lohnend müßte erst das Gelingen sein!

Der Name „Salome" in Lucies erster Erzählung ist einer der „sprechenden Namen" in Kellers Werk und erinnert an die Salome aus Heines „,Atta Troll", die - in einigermaßen freier Interpretation der Überlieferung - aus verschmähter Liebe das Haupt ihres Mannes fordert:

War vielleicht ein bißchen böse
Auf den Liebsten, ließ ihn köpfen.

Die Wirtshaustochter Salome
Versucht' sich einst als Galathee.
Allein, sie war denn doch zu dumm
Für Meister Drogo, der darum
Nicht mehr Pygmalion spielen wollte,
Worauf dann sie sich heimwärts trollte.

Ganz ähnlich kommt es auch zum Krach
Im Buch von Berthold Auerbach:

Lorle, eine Wirtshaustochter
Liebt einen flotten Kollabrater,
Welcher ein Professor wird
Und am Hofe stolz verkehrt.
Lorle gibt sich ganz natürlich,
Ist auch gar nicht hübsch gezierlich
Wie die Damen dort am Hof,

Und ein jeder denkt: wie doof!
Drogo, heftig emb'rassiert,
Findet seine Frau borniert.
Sie will drauf nur noch allein.
Stille und zu Hause sein;
Bleibt auch ohne Kinderglück,
Läuft darum nach Haus zurück.

„Und nun, mein Lieber, nehmen Sie ein Quart,"
Sagt Humboldts Wilhelm seinem Sekretäre,
„Ich wünscht wohl, daß Er meine Sklavin wäre
Aus Griechenland; Denn meine Wesensart

Hat weiße Schenkel lieber als den Bart.
Mit Diede ich auf Pergament verkehre,
Und bleib nach außen keusch, bei meiner Ehre!
Doch innen phantasier ich schlimmer als de Sade.

Allein, es sind nur vierzehn offne Räume,
Nicht viel, wenn starke Sehnsuchtstriebe prassen
Zur Form und Bildung holdperverser Träume.
Gern wohl der Nachwelt möcht ich hinterlassen
Die „Griechensklavin", grausam Sex in Reime
Gebracht; was wir jedoch bis morgen lassen."

Unter der Pygmalion-Literatur nehmen Humboldts Sonette (1831 - 1835) sowie der frühere Zyklus „Weibertreue"(1809) und die Versdichtung „Die Griechensklavin" (1820) eine eigenartige Sonderstellung ein: Soweit dort von Frauen („Weibern") die Rede ist, wird ihre Unterwürfigkeit gepriesen, nicht ihre Lernfähigkeit:

> *Das Weib muß dienen und gehorchen, scheiden von jeder eigenen Lust, und sonder Klage im sauren Dienst der Stirne Schweiß vergeuden.*

Die „Griechensklavin“ ist eine wiederkehrende Wunschfigur Humboldts, der lange Zeit von seiner eigenen Frau Caroline getrennt und entfremdet lebte. Die christliche Sklavin spricht zu ihrem türkischen Bezwinger:

> *Doch da ich einmal dich im Bett umfassen,*
> *nackt unter dir mich dienstbar strecken muß,*
> *Gehorsam reichen mit den tränennassen,*
> *angstbleichen Lippen dir der Sklavin Kuß,*
> *am ganzen, armen I.eib gewähren lassen*
> *dich, wo du suchen willst, der Brust Genuß,*
> *und dulden endlich, daß die Kraft der Lenden*
> *du in mein Innerstes darfst herrisch senden.*

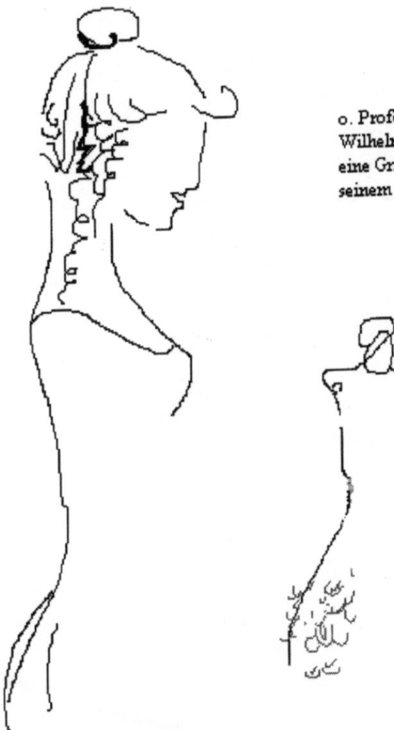

o. Professor Dr. Dr. h.c. mult.
Wilhelm v. Humboldt,
eine Griechensklavin vor
seinem geistigen Auge

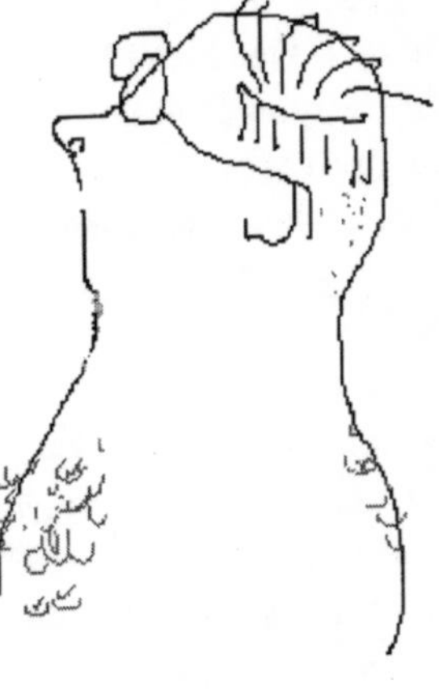

Belehrende „Briefe an eine Freundin“ (wie sie seit 1847, veredelt redigiert, genannt wurden) hat Wilhelm von 1814 bis 1835 an die arme Frau Charlotte Diede geschickt. Auch hier ist der Schreiber herrisch, manchmal sogar rüde und mitunter weise und lehrerhaft herablassend.

Über vier Jahre lang diktierte Humboldt seinem Sekretär Ferdinand Schulz allabendlich ein Sonett. Mit einem munteren „Nun, mein Lieber, nehmen Sie ein Quartblatt!“ setzte sich der Schloßherr von Tegel zurecht, und die Dichtung nahm wieder einmal ihren Lauf . . .

Habilitierte reden Stuß,
Und mancher Ordinarius
Hat Liebestränen schon vergossen,
Wenn er von Amor angeschossen
Und an die Liebste denken muß.
Selbst wenn ein Löwe in ihm brüllt,
Bleibt manch Verhältnis unerfüllt:
Weil er nicht darf, was sie nicht will
Kam König Gunther nicht zum Ziel,
Blieb Brunhild leider ungestillt.
So ging's auch Freytags Leontine
Mit dem Gelehrten Walter. Und Blumine,
Bei Carlyles Doktor Teufelsdroeckh,
Kommt versus Fichte nicht vom Fleck.
Und Julchen macht noch gute Miene.

In den obenstehenden anspielungsreichen Versen wendet sich Bummelböhm vom Pygmalion-Motiv, das bei Freytags Gelehrten noch nachklingt („meine That warst du“), einem professoralen Liebesverhalten zu, das sich im Dreieck von „underdog“, Hahnrei und Philister bewegt.

Die idyllische Weltabgeschiedenheit des Gelehrten Walter

in Gustav Freytags „Der Gelehrte" (1844) drückt sich, halb spöttisch, halb bewundernd, in den Worten des Schloßgärtners Klaus aus:

> *Da sitzt er, recht in seinem Studium*
> *In Büchern und Skripturen, wie ein Fink*
> *Im grünen Laube.*

Diese von Freud implizierte Tatenlosigkeit abstinenter Gelehrter, die Mommsen schon als Weltfremdheit kritisiert hatte, wird auch Walter selbst bewußt:

> *Es ist ein altes Leiden, heimlich trug*
> *Ich's lang' in mir herum, und oft besiegt,*
> *Befiel mich's wieder. Doch so heftig nicht,*
> *Nicht so wie jetzt. Es ist dasselbe Weh',*
> *An dem die Menschheit krankt in unsrer Zeit,*
> *Und kurz, es heißt: Thatlosigkeit.*

Doktor Diogenes Teufelsdroeckh (Professor der Allgemeynwissenschaft) in Carlyles „Sartor Resartus" ist zwar kein deutscher Professor, aber von Fichteschen Ideen des „Ich" so durchwirkt, daß seine unerfüllte Liebe zu Blumine beinahe dem Konto echt deutscher Gelehrtenliebe zugeschlagen werden darf:

> Zum schlechten Spiel des jungen Damis,
> Der wohl belesen, aber lahm ist
> Wie Doktor Tesmann, Heddas Mann,
> Bei dem man Bücher finden kann,
> Doch alles Spritzige vermißt.

Damis ist der „Junge Gelehrte" bei Lessing, eine bühnenwirksame Parodie, mit der sich der junge deutsche Aufklärer die eigene prätentiöse Buchgelehrsamkeit von der Seele schreibt. Damis verkörpert (oft, z. B. von Hegel, zitiert)

> *die kalte Buchgelehrsamkeit, die sich*
> *mit todten Zeichen in's Gehirn nur drückt*

und bleibt am Ende unbeweibt (er war ohnehin nur interessiert, die illustre Galerie der „Gelehrten mit Hauskreuz" zu verlängern) und ohne den Preis, den er von der Akademie erawartet.

„Hedda Gabler" ist ebenfalls Teil einer Vergangenheitsaufarbeitung: Henrik Ibsen hatte sich als 61jähriger während eines Urlaubs im tirolischen Gossensaß in die 18jährige hübsche Emilie Bardach verliebt, die das Modell für die Hedda lieferte. Heddas Mann, frischer Doktor der Kulturgeschichte und Spezialist für die „Brabanter Hausindustrie des Mittelalters", Professor in spe, ist Sammler und Ordner:

> *Und Ordnung zu bringen in die Papiere anderer, - das ist so recht eine Sache, die mir liegt.*
> *Er gewinnt zwar die Manuskriptunterlagen seines toten Rivalen Ejlert Lövberg (ist hierin also erfolgreicher als Freytags Doktor Felix), verliert aber seine Frau durch Pistolenschuß , nachdem diese zu Lövbergs Selbstmord die Worte gefunden hatte: Endlich einmal eine Tat.*

In Versen, nämlich frühromantisch,
Schwärmt Wilhelm Schlegel recht pedantisch
Gezirkelt, daß kein Versfuß fehle Jedoch:
es fehlt dem ganzen -: Seele;
Jung-Schelling wirkt da mehr bacchantisch.

Zumal sein Körper wie Apoll
Und alles da, wo es sein soll,
Wirkt der Professor auch noch physisch.
Der volle Mund macht dionysisch
Das Maß bei Carolinen voll.

Wie Henriette Herz, Bettina von Arnim, Rahel Varnhagen ist Caroline, geb. Michaelis, eine der Frauen, die um 1800 Salon- und Heiratspolitik machen und eine nicht zu unterschätzende Rolle in akademischen Zirkeln spielen, welche ab 1810 dann zur Hochblüte der deutschen Universität und ihres Professors so entscheidend beitragen sollten. Als früh verwitwete Böhmer und in allerlei parapolitische Schwierigkeiten verstrickt, wird Caroline vom Jugendfreund August Wilhelm in Schutz genommen und in die Ehe geführt. Im Herbst 1798, 35jähig, trifft sie den zwölf Jahre jüngeren Schelling, der gerade erst (am 5. Juli 1798) durch Verfügung des Großherzogs und unter Mithilfe Goethes als Extraordinarius der Philosophie nach Jena berufen worden war.

Ein Jahr später, zu Weihnachten 1799, ist beim „deutschen Plato" die Glut zur Flamme geworden. Er widmet der Frau Schlegels im Anschluß an intensive Dante-Lektüre einige Stanzen, die verraten, daß er um die Brisanz ihres Verhältnisses weiß:

Den letzten Grund des anfanglosen Bösen
Erkennt nur, wer zum Abgrund sich gesellt,
Den Grund des Guten mag nur der erreichen,
Der es gewagt, zum Duell des Lichts zu steigen.

Im Jahre achtzehnhundertdrei
(Genauer ist's im Monat Mai)
Braucht Wilhelm ihr nicht mehr zu dienen
Und scheidet sich von Carolinen,
Die fortan nun Frau Schelling sei.

Nach der von Goethe assistierten Scheidung heiratet Caroline zum drittenmal: Sie wird Frau Schelling, und es ist bekannt, welchen glücklichen Einfluß sie in den folgenden Jahren bis zu ihrem frühen Tod 1809 auf das Genie ihres Gatten hatte.

Wieviel kleiner, gemessen an diesen wenigen Ehejahren, erscheint dagegen Schellings spätere altväterliche Schulmeisterei gegenüber seiner zweiten Frau Pauline, die ihm doch Kinder und ein trautes deutsches Professorenheim gab !

Friedrich Schlegel, Wilhelms berühmterer Bruder, verfolgte Carolines Karriere mit Argwohn und hatte, wie auch seine neun Jahre ältere Frau Dorothea (die er doch auch einem anderen, Veit, ausgespannt hatte), kritischneidische Worte für die neue Verwandte.

Mit Schaden kommen Spott und Hohn,
Und peinlich ist devoter Ton
Bei einem tiefgelahrten Lamm,
Wie Wilhelms Blöken vor Madame.
Lamm wird Professor dann in Bonn . . .

Diesen Fünfzeiler widmet Bummelböhm noch den ferneren Liebestaten des gehörnten August Wilhelm, der es offenbar nimmer lernen will: Er folgt kurz nach der Scheidung Madame de Staël nach Coppet, und diese Madame weiß um die Bedeutung ihrer neuen Eroberung:

Dans tout ce Berlin, qui m'intéressée? . . . Le fameux Prince Louis? Non. Un professeur, un professeur allemand! . . . Si vous voulez un intérêt de coquetterie, il n' en est pas question . . . Mais si vous voulez en littérature plus d'esprit et d'óriginalité que tout le monde et autant que vous, je vous le garantis. Comme je crois que je vous l'amène, je n'en parle plus.

(Nach Frank Jolles Einleitung zu A. W. Schlegels „Vorlesungen über das akademische Studium", Heidelberg 1971, S.15)

Dieser starken und intelligenten Frau schreibt Schlegel eine Treue- und Verzichtserklärung mit dem Satz:

Je déclare que vous avez tous les droits sur moi et que je n'en ai aucun sur vous ...

(a. a. O., S. 16)

Und ganz ähnlich schon vor seiner Scheidung, am 3. 10. 1801, an Sophie Bernhardi:

Ich will mir selbst gar nicht mehr angehören, ich will ganz in Deiner Macht und Gewalt seyn, mach mit mir was Du willst, ich bin Dein Eigenthum.

(a. a. O., S. 17)

Frau Dr. Böhmer,
Frau Professor A. W. von Schlegel,
Frau Professor F. W. J. Schelling

Soviel zu Pygmalions Mühen
Und den Müh'n der Professoren,
Jene weiblich-schönen Toren
Zu sich hin- und zu erziehen.

Hinter dem Erziehungsdrang
Steckt noch ein ganz andrer Hang:
Der Hang zur schlimmen femme fatale,
Zweitens, zum Küchenpersonal,
Und drittens, das sei auch gesagt,
Ist die „Kinderfrau" gefragt.

Spärliche, unvollendete Skizzen in Bummelböhms Nachlaß weisen darauf hin, daß ein tragikomisches Gedicht zu Peter Abelards „Historia Calamitatum" geplant war; ferner findet sich eine lolitaeske Anspielung auf Timofey Pnins Studentin Betty Bliss sowie eine spöttische Notiz zu Professor Byron Caldwell Smith und seine Studentin Kate Stephens, die, erfolgreicher als Rosa Fröhlich, bei ihrem Lehrer Griechisch lernte.

Ad primum, sieh Professor Unrat
Und Fräulein Fröhlich ihre Untat.
Da wär noch mancher andre Reigen,
Doch wolln wir davon lieber schweigen.
Zum zweit' und dritten seien hiermit
Ein paar Exempel angeführet:

Siehe zum Beispiel den smarten Professor, den Göttinger Meister
Putziger Briefe an Dieterichs Köchin Maria, den Doktor
Lichtenberg, Kenner der Küche nicht nur, die Königin kennt er,
Wissend, daß Stellen vorhanden, wo diese genauso gestaltet

Sind wie die prachtvollen Mädchen der Bauern vom Lande ringsum.
Blumen und Knospen, er liebte sie über die Maßen, doch mehr noch
Liebte er sie, Dorothea, die Blumengeliebte, die später
Emsig, der Schillerschen Frau in der Dichtung verwandt, die Geräte
Christophs fein säuberlich putzte, verstaute und Buch führt' darüber.

Professor Dr. nat. Georg Christoph Lichtenberg

Zu Lichtenberg verweisen wir nur auf die neue Ausgabe von Promies und Herbert Schöfflers „Lichtenberg", Göttingen 1956, so wie auf die Ausgabe der Briefe, Leipzig 1901 - 1904, von A. Leitzmann und C. Schüddekopf.

Ebenso jung war Marie, kaum vierzehn, mit rotbraunen Haaren,
Lavoisiers schöne Braut im Jahre des Herrn einundsiebzig,
Ehrgeizig, kühn und gebildet verfolgt sie das Werk ihres Mannes,

Welcher, verstrickt in den Wirren und Wehen chaotischer Zeiten,
Robespierres Tribunal nicht entkommt und als Opfer der Massen
Stirbt auf dem Markte der Revolution, gerühmt und geächtet.
Arme Marie, la pétite, la jolie, la Marie malheureuse
Heiratet wieder: Benjamin Thompson, Gelehrter auch dieser
Mann, und von Adel, „Count Rumford" , Professor und Graf, der als Thema
Wärme studierte und Lichtenberg kannte, Marie aber kalt ließ.

Antoine Laurent Lavoisier (1743-1794) trifft Marie 1771 und heiratet sie am I6. Dezember 1771, nachdem er bereits 1768, als 25jähriger, in die französische Akademie der Wissenschaften gewählt worden war. Lavoisier starb am 8. Mai 1794, gegen Abend, auf der Guillotine. (S. É. Grimaux, Vie de Lavoisier, Paris 1888)

Seht Taubmann am Tische des Fürsten von Sachsen,
Professor und Hofnarr, den Sack voller Faxen
Stets hurtig zur Hand, plautinische Lieder zu machen,
Daß höhergestellete Damen die Mieder zerlachen,
Welche, gelockert und offen,
ihm zeigen die Ritzen, die weißen,
Zwischen den Brüsten und bitten,
mehr Witze zu reißen.
Erhitzt von den Damen, dem Wein, will der König nun wissen,
„Was besser: wenn Adlige viel oder wenig nur küssen
Pokale von Liebe *und* Wein; ob unversehrt gelingen

Kann, Bacchus mit Venus zu paaren, soll Taubmann gelehrt besingen!"
Verbeugt der sich tief: „„Ihr bebiereten Zecher!"
Spricht Taubmann, und leert seinen kostbar verziereten Becher:
„Medium tenuere beati - maßvoll den Wein pokulieren
War immer schon gut für Erkenntnis und fürs Kopulieren;
Erkenntnis und Weiber - es wachen darüber die Fürsten!
Erkennt ihr das Weib, ist vorüber das Dürsten."

Bummelböhms lebenslange Beschäftigung mit Narren und Gelehrten findet hier ihren Niederschlag in Schüttelreimen, dem Wittenberger Poet und Horaz-Nachahmer, dem kurzweiligen Rat und Professor Friedrich Taubmann (1565-1613) gewidmet. Taubmann heiratet am 18. Mai 1596 Elisabeth Matthäi, eines Kleinbürgers und Krämers Tochter: „Sie ist hübsch, und das ist gut für meine Augen; sie hat aber auch ein Haus, und das ist besonders gut für meinen Beutel." (Siehe Fr. W. Ebeling, „ Zur Geschichte der Hofnarren", Leipzig 1884, S. 59) Dabei hatte der Professor Elisabeth erst kennengelernt, als er für seinen Kollegen Siber als Mittelsmann, um um ihre Hand zu bitten, in das Haus der Matthäi kam. Auch dem Einwand des Vaters, daß es in Sachsen eigentlich Sitte sei, die ältere Schwester der Elisabeth zuerst zu verheiraten, wußte Taubmann die Regel entgegenzuhalten, daß es in aller Welt üblich sei, die jüngsten Kinder zuerst ins Bette zu bringen.

Zum Schluß sei ein zusammenfassender Kommentar zu den möglichen Tropen deutscher Gelehrtenlieben erlaubt.

Der deutsche Professor orientiert sein Verhältnis zum schönen Geschlecht an einem von zwei Grundmustern, entweder dem schon genannten *Pygmalion-Motiv* oder einem kuriosen Syndrom der Unterlegenheit, das ich hier versuchsweise als *Aigisthos-Komplex* in die gelehrte Debatte einführen möchte. Das erstere Motiv ließe sich, nach den jeweils dominierenden Tendenzen, in Rubriken wie, „Blumenmädchen", „Aschenbrödel" , „Naturkind" , „Kinderfrau" etc. weiter auffächern. Hier überwiegt einerseits der pädagogische Ehrgeiz des „Verbesserns" - eines Prozesses, der nicht selten in einer sogenannten Treppenheirat gipfelt -, andererseits zählt aber auch lediglich männliche Eitelkeit, wie sie sich in Lichtenbergs Aphorismus ausdrückt, wonach die Schönheit der Frauen dem Talente ihrer Männer zugeschlagen wird.

Der Aigisthos-Komplex hat seinen Namen von jenem Konspirator und zweiten Ehemann der Klytämnestra aus Euripides', „Elektra", von dem die Titelheldin in ihrer Schmährede sagt: „„Er gehört und gehorcht der Frau, nicht die Frau dem Manne;" und da er „sich einem edlern Weib vermählte, wird seiner gar nicht, nur allein der Frau gedacht" .

A. W. Schlegels Unterlegenheit, ja Unterwürfigkeit der Caroline und Madame de Staël gegenüber gehören hierher, auch Walters submissives Verhältnis zur Adligen Leontine sowie - wenngleich geläutert - Kellers Brondolf und die verarmte Baronin Freiin Hedwig von Lohausen.

Wilhelm von Humboldt ist in vertrackter Weise zwischen Aschenbrödel- und Pygmalion-Motiv (Frau Diede) und einer milden Aigisthos-Variante (im Verkehr mit seiner eigenen, sehr selbständigen Gattin Caroline) hin- und hergerissen. Selbst Schelling glaubt sich vom Höhenflug mit seiner Caroline ein paar Etagen niedriger erholen zu müssen. Dagegen nehmen Kellers Helden Reinhart und Lucie bereits eine modernere Konstellation der Gleichberechtigung vorweg, wo der Gelehrte und Professor eine ebenfalls Studierte heiratet.

Wie mir nun Kollegen mit mehr Einblick ins komplexe professorale Liebesleben immer wieder flüsternd versichern, ist bis heute ein latenter Hang des Habilitierten zum angeblich unverdorbenen Küchenpersonal, zum schönen Rousseauschen Naturkind, allerdings auch zur unakademischen femme fatale zurückgeblieben, und wenn es denn dem Auffinden der Wahrheit dient . . .

3. PROFESSORENSPIELE

Heißt ein Spiel beschreiben immer:
eine Beschreibung geben, durch die man lernen kann?

Ludwig Wittgenstein,
Bemerkungen über die Farben Nr. 76,
Frankfurt/M.1979

Ordinarius, verkleidet als "Sol" oder "Metaphysikus" bei einem Professorenspiel

Seit dem Abflauen der sexuellen Revolution und dem fast vollständigen Verschwinden der Orgie als Gesellschaftsspiel hat sich gerade in akademischen Zirkeln eine Langeweile breitgemacht, die die professorale Abendgesellschaft gänzlich zum Erliegen gebracht hat. Vorbei sind die Abende, da Schopenhauers Mutter nach dem Dessert das neueste Gedicht aus dem Geheimrat Goethe herauslockte, vorbei die ästhetischen Tees bei den Varnhagens, vergangen die elegant-dekadenten Salons der zwanziger Jahre, vergessen auch die warme Solidarität der Siebziger, wenn zu Semesterende der Ordinarius nichthabilitierte Assistenten und gar zwei, drei Doktoranden zu einem kalten Buffet und lauen Weißwein einlud.

Um diesem deplorablen Zustand kulturellen Vakuums und gesellschaftlicher Öde ein wenig abzuhelfen, werden im folgenden einige Vorschläge gemacht, wie ein „Abend bei Professors" sinnvoll, aber doch intelligent und unterhaltend, gestaltet werden kann.

Man stelle sich zunächst jene peinliche Stille vor, die unweigerlich eintritt, nachdem jeder Gast vom Wein genippt und die ersten beiden Salzstangen zum Munde führt. Dieser Hiatus bietet für den nichtbeamteten Dozenten die erste Gelegenheit, ein munteres Spiel vorzuschlagen:

> Als ich gestern nacht noch sorglos im Wilhelm Busch blätterte, stieß ich auf eine lyrische Gattung, die meines Wissens seit Wieland nur Ludwig Thoma wieder aufgenommen hat, ansonsten aber, sozusagen, poetopraktisch vernachlässigt und poetologisch wenig untersucht ist: der inhaltsreiche Alphabet-Reim. Vielleicht können wir, ich meine, wenn Herr Professor . . .

Der Reihe nach ist alsdann jeder aufgefordert, einen Reim aus dem universitären Nahbereich beizusteuern. Ein zufälliges Ergebnis sei hier mitgeteilt:

A Der Docent gibt sich *a*kademisch,
B Der *B*ursche ist doch gar zu dämisch.

C Den *C*ognac schreibt er stets mit C,
D Dem *D*oktor tut auch mal was weh.

E Dem *E*sel darf man Brücken bauen,
F Den *F*aulen muß man gleich verhauen.

G Ein Prof ist längst noch nicht *g*elehrt,
H Manch *H*ypothese ist verkehrt.

I Bei Frisch heißt einer *I*sidor,
J Ein *J*ohann kommt bei ihm nicht vor.

K In *K*onstanz ist die Gegend fein,
L Studieren muß da *l*ustig sein.

M *M*agister werden ist nicht schwer,
N Den *N*obel kriegen aber sehr.

O *O*skar Schwemmer schreibt ein Buch,
P Sein Lehrer *P*aul hat schon genug.

Q Die *Q*uinte ist ein Intervall,
R Der *R*ehder hat doch einen Knall.

S *S*tudenten randalieren nicht,
T Weil man dann keinen *T*itel kriegt.

U Auf der *U*ni lernst du was,
V *V*ögeln macht noch größern Spaß.

W Dem *W*erther ist was durchgebrannt,
X Das „*X*" ist meistens unbekannt.

Y Beim *Y*psilon denk ich nur Stuß,
Z Beim *Z* ist's mit dem Reimen Schluß.

Beliebt bei mathematischen Abendgesellschaften, wo die Pausen im Gespräch mit dem Schweigen angestrengten Denkens noch häufiger als gewöhnlich abwechseln, sind auch die Zahlenreime (bis etwa eine Million) :

Die 1 ist eine kleine Zahl,
Die 2 ist 1 und 1 noch mal.
Die 3 ist leider auch schon prim,
Die 4 im Aufsatz schadet ihm.
Die 5 ist manchmal auch gerade,
Der 6 gefiel Marquis de Sade.
Die 7 ist die Zahl der Zwerge,
Die 8erbahn hat viele Berge.
Die 9 ist 3 plus 3 plus 3,
Die 10 dagegen 5 mal zwei.
U.s.w.

Nachdem auf diese Weise die Stimmung etwas aufgelokkert und ein gewisser intellektueller Rapport unter den Anwesenden hergestellt ist, dürfen auch schwerere Gesellschaftsspiele aufgeführt werden.

Nicht allein populär, sondern für die aufstrebende Dozenten- und Assistenzprofessorengeneration überdies noch nützlich sind die Imponierspiele. Zu diesem Behufe verabreden sich zwei oder mehr C-1er, das Gespräch zwanglos auf eine fiktive Gestalt des deutschen Geisteslebens (tot oder noch lebend) zu lenken und die Bedeutung dieser Person für die gegenwärtige Forschung zu diskutieren. Als erstes muß, möglichst im lebhaften Zwiegespräch, der fiktive Charakter durch einen interessanten Lebenslauf eingeführt werden. Bewährt hat sich u. a. der nachfolgende deutsche Gelehrte:

Jacob Heinrich von Bockelberg (* 1801 in Magdeburg, †1882 in Stralsund), Schüler Hegels, Intrigant im Altenstein-Ministerium. Gegner Alexander von Humboldts. Aufenthalt in Paris 1824-1828, glänzender Gesellschafter, vielerlei Amouren. 1834-1838 Vortragender Rat im Kultusministerium. 1838-1844 in Madrid, 1844 bis 1860 in St. Petersburg, dort Freundschaft mit dem Rechtshegelianer Tschitscherin. Werke: „Deutsche Nationalbildung" (1832), „Das System der Wissenschaften an den deutschen Universitäten" (1838) sowie eine (leider verschollene) Autobiographie. Wichtigster Ausspruch (von Schopenhauer als „,freche Hegelei" zurückgewiesen, s. dessen Briefe an seinen Verleger): „Der von Humboldt gräbt die Wahrheit der Natur aus der Erde hervor, gleich dem Schatze; doch das Gediegene, so auf diese Weise ans Tageslicht tritt, kann seine dunkle Herkunft niemals verleugnen."

Danach ist es Zeit für freie Diskussionen; Vermutungen über Neudrucke bei Olm oder der Wissenschaftlichen Buchgesellschaft sollen jetzt geäußert werden, Querverbindungen gilt es zu ziehen, das volle Repertoire akademischer Disputierkunst ist in Anschlag zu bringen. Besonders zu achten ist bei diesem Spiel auf die Reaktionen und Beiträge der nichteingeweihten Ordinarien. Erfahrungsgemäß versuchen sie, den fiktiven Gelehrten abzuwerten, zum Beispiel durch Bemerkungen (gemurmelt) wie: „So 'ne Randfigur wie der Bokkel-berg . . ."

Es ist bekannt, daß neben den genannten hochkarätigen Gesellschaftsspielen immer wieder, zu vorgerückter Stunde und aufgrund untemperierten Punschgenusses, wider den akademischen Geist gesündigt und zur entspannten Blödelei gegriffen wird. Jedermann wird diese Tendenz zur fachunspezifischen Improvisation gutheißen und sie jedenfalls dem unwürdigen Erzählen von Insider-Fachwitzen vorziehen, diesen unreifen Pickeln akademischer Pubertät.

Bummelböhms „Katalog akademischer Unterhaltungen für den fortgeschrittenen Abend“ listet u. a. vierstöckige Skatkartenhäuserkonstruktionen, Blitzschach zu vier Händen mit zufälligen Zügen, pervertierte Pfänderspiele für Theologen (wer verliert, muß ein zusätzliches Kleidungsstück anlegen), Buchstabierwettbewerbe für Mediziner und die Komposition moderner Haikus:

> Unbeweibt und kahl
> lebt allein der Professor
> Frauen mögen Haar.

Besonders stolz war Professor Bummelböhm auf die Erfindung des „Gelehrtenspiels“, das, wie er oft wiederholte, dem deutschen Professor ganz besonders angemessen sei; denn (hier pflegte er Klopstock zu zitieren) :

> In keiner Gelehrtenrepublik ist so viel entdeckt und erfunden worden, als in der deutschen.

Als 1957 die „Gelehrtenrepublik“ (eigentlich IRAS = International Republic for Artists and Scientists) des „Joyce-Verschnitts“ (Bummelböhms Etikett , nicht meines) Arno Schmidts erschien, benutzte Bummelböhm den dort veröffentlichten Lageplan als Grundlage, da IRAS mit ihrem Flughafen und Rathaus, den Häfen, Bibliotheken, Funk und Fernsehen, dem Poet's Corner und den geräumigen Gebäuden für Kunst und Wissenschaft am vollständigsten ausgerüstet war.

Vor 1957 hatte er abwechselnd den Stadtplan von Palmanova (bei Venedig, wo B. einen mückenreichen Sommer verbrachte) und des Utopus Originalskizze von Amaurotum fotokopiert seinen Gästen (ich war mehrmals dabei) ausgehändigt.

Das eigentliche Spiel besteht nun darin, daß die anwesenden Gelehrten eine Hauptversammlung der edlen Aldermänner simulieren und nach eigenen (oder Leibnizens) phantastischen Plänen, in freiem Wettbewerb der Ideen, eine neue deutsche Gelehrtenakademie gründen.

Unter der Leitung Bummelböhms (bekanntlich selbst Mitglied der Heidelberger Akademie), der sich dann mit „Sol" oder „Metaphysikus" anreden läßt, statten seine naturwissenschaftlichen Gäste eifrig ihr Institutsgebäude, genannt „Solomons Haus" und im sogenannten Maschinenviertel gelegen, mit allerlei kuriosem Gerät aus. Da werden dann Kreativitätsuhren beschrieben und ineinanderlaufende Treppen und unendliche Galerien konstruiert, die dem guten Escher alle Ehre gemacht hätten. Ich erinnere mich auch, wie Politologen und blasse Friedensforscher die blutigsten Federkriege zwischen Austrinopolis und Atlantis in der gezierten Sprache des Frosch-Mäusekrieges schildern.

Und belesene Philologen machen in den Kampfpausen Vorschläge, welche der von Hythlodaeus genannten Bücher als Rara in die Gelehrtenbibliothek aufgenommen werden müssen - jeder Vorschlag durch eine Kurzrezension untermauert. Geleitet vom guten Rat der Aldermänner

> Wer die Wollust noch nicht geschmeckt hat,
> welche die zu überwindende und die überwundene
> Schwierigkeit geben, der ist noch ein Neuling
> und sollte sich des Mitsprechens enthalten

diskutieren am Ende in einer *disputatio de quodlibet* die Assistenzprofessoren über die verschiedenen Arten der *voluptatium*, frei nach Thomas Morus' *„Utopia"*, jene Wollust also, die die Sinne mit einer Süße durchflutet (sensum perspicua suavitate perfundit) und von der wir bei der Vorstellung der Weltanschauung des C-1-Professors schon gehört haben.

Endlich wirft Metaphysikus alias Dr. Bummelböhm eine Handvoll Weizenkörner unter die Disputanten zum Zeichen, daß das Gelehrtenspiel nun beendet sei und Preise auf den Sieger warten.

Wenn nach diesem anspruchsvollen akademischen Spiel die Dame des Hauses zu einem späten Imbiß bittet, wird sich auch der Gesprächsstoff wieder irdischeren Dingen zuwenden. Ein C-3-Professor kann sich zum Beispiel vorteilhaft ins Licht setzen, wenn er das kunstvolle Arrangement des professoralen kalten Buffets zum Anlaß nimmt, ein paar textkritische Anmerkungen zu Schleiermachers Übersetzung des platonischen, „Symposion" zu machen, während er seinem Würstchen auf dem Papptellerchen den erforderlichen Senf beigibt.

Jüngere Kollegen mögen vielleicht lieber den Film, „Das große Fressen" zum Vergleich heranziehen. Wenn dies auch völlig in Ordnung ist, so empfiehlt sich doch auch hier eine historische Bezugnahme, die etwa mit einer Leseerinnerung aus Petronius, „Souper bei Trimalchio" beginnen könnte.

Die Abendgesellschaft geht zu Ende. Jeder bedankt sich artig für den unterhaltsamen Abend: Man hat wieder etwas dazugelernt. Und nach einem dermaßen tiefen Einblick in das häusliche Leben eines deutschen Professors wird sich der kluge wissenschaftliche Assistent und Privatdozent seine hübsche Quartilla an die Brust ziehen und sehr viel später seinem Tagebuche anvertrauen:

> Abiecti in lectis sine metu reliquam exegimus noctem (abgespannt verbrachten wir ohne Furcht den Rest der Nacht im Bette).

Weitere Literatur:

Hier folgen einige bekannte belletristische Titel, in denen vorzüglich der private Professor und Lehrer außerhalb der

Bundesrepublik die Hauptrolle spielt. Bibliographische Angaben über die neueste Auflage dieser modernen Klassiker hat jeder Buchhändler. Aus Österreich sei erwähnt Arthur Schnitzlers Komödie in fünf Akten „Professor Bernhardi", aus der DDR Friedrich Wolfs „Professor Mamlock. Ein Schauspiel" und Inge von Wangenheims „Professor Hudebraach".

Französische Literatur: Arthur Adamovs, „Professeur Taranne"; Charlotte Brontës, „Le Professeur"; Anatole Frances „Le crime de Sylvestre Bonnard"; Alfred Jarrys, „Gestes et opinions du Docteur Faustroll"; Xavier Pommerets „Le reseau de la veuve hoire".

Englischsprachige Bücher: Kingsley Amis' „Lucky Jim"; Saul Bellows „The Dean's December"; Malcolm Bradburys „The History Man" und „Rates of Exchange"; Anthony Burgess' Enderby-Romane; Rebecca Goldsteins „The Mind-Body Problem"; Henry James' „Professor Fargo" (in Travelling Companions); Mary McCarthys „The Groves of Academe" und William M. Thackerays „The Professor".

Russisch: L. N. Andreyevs „Professor Storitsyn".

Japanisch: Natsume Sosekis „Kokoro". Tsuboi Sakaes „Nijushi no hitomi" (Vierundzwanzig Augen); Shimazaki Tosons „Hakai" (Zerstörung; dies ist eine Geschichte über einen Eta-Lehrer in Japan). „Hakai" ist unter dem Titel „The Broken Commandment" ins Englische übersetzt worden.

V Kapitel

DER DEUTSCHE PROFESSOR - EINE GESCHICHTE FÜR SICH

PROFESSORENGESCHICHTE ALS HELDENSYMPHONIE

Geschichte schreiben ist eine Art, sich
das Vergangene vom Halse zu schaffen.

Joh. W. von Goethe,
Aus Kunst und Altertum,
dritten Bandes erstes Heft (1821)

Die jahrhundertelange Geschichte der deutschen Universität und des deutschen Professors als ihrem Helden kann als viersätzige Symphonie gelesen werden, zu der päpstliche, kaiserliche, herzögliche und kurfürstliche und noch viele andere Saiteninstrumente ihre Melodien und Leitmotive beigetragen haben.

Die Symphonie, an die ich hier denke, ist natürlich Beethovens dritte Symphonie in Es-Dur, die Sinfonia Eroica „per festiggiare il souvenire di un grand' Uomo", dem feierlichen Andenken eines großen Mannes, dem deutschen Professor also, gewidmet. Ihr langer erster Satz, in fast siebenhundert Takten Allegro con brio gespielt, mit seinen Instabilitäten, Themenwechseln und tonalen Schwankungen zwischen extremen Tonarten charakterisiert bereits das unsichere Auf und Ab der universitären Entwicklung von den Anfängen im späten Mittelalter bis zur Kadenz um 1700. Zu dieser Zeit der frühen Aufklärung ist die Universität an einem Tiefpunkt angelangt, aus dem sie sich, trotz einiger Reformen in Göttingen, Halle und Wien, das gesamte 18. Jahrhundert hindurch nicht erheben kann. Verachtet und verschmäht vom großen Leibniz, der wie Erasmus nie Professor werden wollte und sich statt dessen lieber seinen Akademieplänen widmete, karikiert von Lichtenberg, ironisch beschrieben in Goethes Briefen, präsentiert sie sich hundert Jahre lang als ein Marcia funebre in Adagio assai, als ein langsamer Trauermarsch, der nur hin und wieder lyrisch aufatmet oder durch Fanfaren aufgeschreckt wird, deren Ton hinter der „tristesse" immerhin die kommende „grandeur" (Berlioz) vermuten läßt.

Der dritte und für die Zukunft des deutschen Professors so entscheidende Satz wird im 19. Jahrhundert Allegro vivace gespielt. In seinen ersten 28 Takten versprüht reine Beethovensche Energie, ohne Rücksicht auf die Grundtonart, und ebenso beispiellos verläuft die von Humboldt inszenierte erste Dekade der neuen Berliner Universität. Trotz bald einsetzender Reaktion, Abweichungen bis g-Moll, einigen Spielereien mit B-Dur und sogar Spritzern von Des versichern die professoralen Geigen und das Orchester im Tutti, daß wir uns in Es-Dur befinden und bis etwa 1890 die Anfangsmotive ausgearbeitet werden müssen - wobei eine überraschende Hornfanfare im Trio speziell noch dem Professor Hegel gegolten haben mag. Die merkwürdige Sequenz Des-D-Es am Schluß ist wohl eine Reversion der Folge Es-D-Cis aus dem ersten Satz: Wir sind zum Anfang zurückgekehrt, der deutsche Professor hat sich vollendet. Das 20. Jahrhundert wird noch den Abstieg des Mandarins bringen. Der schon zitierte Hector Berlioz will sogar schon im Scherzo Übergangsstimmung und Begräbnisriten hören: „l'oraison funèbre d'un héros" , denn die „Spiele" im Scherzo seien von der Art, wie sie die Krieger der „Ilias" um die Gräber ihrer Anführer aufgeführt haben: „Des jeux enfin comme ceux que les gouerriers de l'Iliade célébraient autour des tombeaux de leur chefs."

Der vierte Satz, in Allegro molto, beginnt gegen Ende des 19. Jahrhunderts und ist oft, so von Ambros in „Über die

Grenzen der Poesie und Malerei", zu ernst genommen worden. Die Helden sind müde, als zum letzten Male das Professorenpathos aufbraust, von acht massiven Akkorden tutti untermalt, aber in g-Moll bereits dem tragischen Untergang geweiht. Statt der erwarteten großen musikalischen Geste hat Beethoven lediglich eine (so empfinde ich es) komische und antiklimaktische Parodie bereit. Die zweiten Geigen, Extraordinarien also, übernehmen zunächst die Führung. Dann versuchen sich sogar die Privatdozenten-Violas, bislang fast unbemerkt im Hintergrund, mit ein paar eifrigen Fingerübungen bemerkbar zu machen, die von den zweiten Geigen akzeptiert und von den Cellos weitergeführt werden. Bis 1930 ist das Thema „Der deutsche Professor" ambivalent: Der Baß bleibt ernst, die Melodie ist dagegen fast frivol. Die ersten Geigen spielen ihren Part in D-Dur, als sei nichts gewesen und als könne auch nie etwas sein. Doch dann hören wir b-Moll, etwas später den Zipfel eines g-Moll-Marsches und am Fugenende den vollen Jericho-Einsatz der Blechbläser - und plötzlich: Das Tempo wechselt in ein Poco Andante mit einer wundersam nostalgischen Melodie, bis, ebenso unvermittelt, das Finale in Presto hereinbricht; Fanfaren, Hörner, das Ende.

Mir fällt zum deutschen Professor unter Hitler nichts ein.

ERSTER SATZ: ALLEGRO CON BRIO

Eine der ersten intellektuellen Leistungen, die eines deutschen Professors würdig sind, ist die Übersetzung der Bibel ins Gotische durch einen Namensvetter dieses Autors, durch Ulfila. Er vollendet diese heroische Arbeit fast genau eintausend Jahre vor der Gründung der ersten deutschsprachigen Universität 1348 in Prag durch Kaiser Karl IV. Aber erst seit dem 16. Jahrhundert ist von „Professoren" die Rede, und auch von Universitäten" in unserem Sinne spricht man noch lange nicht. Im Mittelalter ist es die *academia* oder das *studium generale*, seit dem Beginn des Frühhumanismus um 1450 das *gymnasium*, auch *frieschule* oder *hohe schule* genannt, während die *universitas studii* oder *universitas magistrorum et scholarium* die Genossenschaft sämtlicher Universitätsmitglieder bezeichnet.

Die Gründungen neuer Universitäten werden zwar anfangs von lokalen Herrschern veranlaßt (z. B. 1365 in Wien durch den Erzherzog Rudolf IV.,1386 in Heidelberg durch den Kurfürsten Ruprecht I. von der Pfalz); aber es ist erst der päpstliche Gründungsbrief, der die neuen Institutionen autorisiert, Curricula aufzustellen und Titel zu verleihen, insbesondere, versteht sich, für die theologische Fakultät. Hinzu kommt, wichtig besonders für die juristische Fakultät, seit 1456 der kaiserliche Gründungsbrief, der in der Folge an Gewicht gewinnt und schließlich das päpstliche Placet, das jedoch noch einige Zeit formal mitvergeben wird, ganz ablöst. Die dritte der sogenannten Oberen Fakultäten ist die medizinische, die aber erst im 19. Jahrhundert wirkliche Bedeutung gewinnt. Die vierte, die artistische und spätere philosophische Fakultät, ist lange Zeit eher der Oberstufe eines humanistischen Gymnasiums vergleichbar. Sie wird auch nur als Vorstufe zu den höheren Studien der Theologie, Juristerei und Medizin angesehen. Damit sind die vier Disziplinen genannt, die der junge Dr. Faustus gemeistert hat, bevor er sich an Mephistopheles wendet. Als fünfte Fakultät werden die stadtbekannten Bordelle bezeichnet.

Die Scholaren, das sind die Lehrlinge oder Studenten in der philosophischen Fakultät, schließen sich im allgemeinen einem Magister, ihrem Lehrer und Meister, an, bei dem sie oft auch wohnen. Seine erste akademische Prüfung, eine Art Gesellenstück, darf der Student mit 17 Jahren ablegen - sofern er ehelich ist und zwei Jahre lang studiert hat. Damit wird er zum „Baccalaren", ein Titel, der Rechte und Pflichten zu gewissen Disputationsdiensten und Vorlesungen beinhaltet. Eine fortgeschrittene „Lizenz", die eigentliche mittelalterliche *venia legendi*, erwirbt der Baccalarius nach weiteren zwei Jahren Studiums und niederer Lehre, um, sofern Geld für die riesigen Immatrikulationsschmäuse vorhanden ist, später sogar Magister, also Professor, zu werden. In der philosophischen Fakultät ist hiermit die Endstation der akademischen Stufenleiter erreicht; doch wenn den Magister der Ehrgeiz drängt oder wenn, wie im Falle Martin Luthers, ein spendabler Kurfürst ihn weiterfördern läßt, darf er als unterster Licentiatus in einer der höheren Fakultäten neu beginnen, um nach weiteren sechs Jahren endlich „Doctor" zu werden. Der Doktorhut, manchmal auch ein Ring oder Buch, wird ihm in einer kirchlichen Promotionszeremonie überreicht.

So erzählt, ist man versucht, von einer glatten akademischen Laufbahn schon im Mittelalter zu reden. Das würde aber die vielen inneren und äußeren Tumulte, Unebenheiten in Niveau und Disziplin, auch die Unterschiede in der Größe und Bedeutung der bestehenden Universitäten und ihre Verflechtung mit dem wechselhaften Wohl und Wehe ihrer Landesfürsten unterschätzen. Überdies war nur wenigen Scholaren nach einer Hochschulkarriere zumute; lediglich ein Bruchteil der Immatrikulierten bringt es überhaupt zum Baccalaren.

Von 1348 (Prag) bis 1502 (Wittenberg) werden dreißig Universitäten neu gegründet, also im Schnitt zwei pro Dekade (obwohl zwischen Rostock 1419 und Greifswald 1456 ein größerer Hiatus besteht). Einerseits ist dies eine stolze Bilanz. Andererseits reicht diese Zeit aber aus, dem Durchschnittsmagister einen Dauerplatz in Sebastian Brants „Narrenschiff" (1494) zu sichern und ihn zur Zielscheibe Eulenspiegelschen Spotts zu machen.

Der Niedergang des akademischen Prestiges wird vorläufig aufgehalten erst im Humanismus, Albrecht von Eyb, Rudolf Agricola, Reuchlin und schließlich Erasmus, der Voltaire des 16. Jahrhunderts, erkennen die überlegene Bildung der Italiener an und versuchen, durch lateinisch geschriebene Briefe, griechische Fabeln und hebräische Texte zur Verfeinerung von Sitte und Geschmack beizutragen. Daneben rührt sich aber auch laut und kompromißlos eine deutschere Version des Humanismus, vertreten durch die streitbaren Conrad Celtis, Ulrich Hutten, Martin Luther, Philip Melanchthon, die alle in Geist oder Buchstaben an den berühmten Dunkelmännerbriefen von 1515 Anteil haben. Während Luthers Reformation, dann die Gegenreformation, die Bauernaufstände und seine oft polternde antirationalistische Haltung überhaupt einen insgesamt verheerenden Einfluß auf die Solidität und Stabilität der jungen Universitäten haben (Erfurt und Wittenberg verkommen völlig), ist die Wirkung des hochbemerkenswerten Melanchthon die eines Beruhigers und Erneuerers. Nach seinem Vorbild bilden sich aus Artisten und Humanisten die ersten Philologen modernen Zuschnitts.

Auf der anderen Seite ist es aber immer noch höchstes Ziel eines philosophischen Magisters, als Dichterfürst ein lukratives Leben am Fürstenhofe zu führen. Seine notorische Eitelkeit, dabei geringes Ansehen bei persönlicher Armut, diese unheilvolle Mischung aus Charakterschwäche und ökonomischer Not, bringen den deutschen Professor wieder so sehr in Mißkredit, daß er eine Stelle als Hofnarr mit Zugang zum Bratentisch des Adels als unverdiente Ehre ansehen muß. Der kurzweilige Rat und Professor der Poesie Taubmann, von dem an anderer Stelle in diesem Buch die Rede ist, ist nur eines der traurigen Beispiele in der Reihe, die noch der Soldatenkönig Friedrich Wilhelm I. mit seinem Lustigmacher Morgenstern fortsetzt, um die gesamte Professorenschaft der Universität in Frankfurt an der Oder lächerlich zu machen.

Der Dreißigjährige Krieg führt vollends zur Verwilderung der Sitten, und auch wenn in der folgenden Generation der

Gelehrte Christian Thomasius zum erstenmal vom Katheder herab ein akademisches Deutsch redet, so hält er doch den tiefen Fall nicht auf, der mit Leibnizens Gründung der konkurrierenden Societät der Wissenschaften 1700 in Berlin einen vorläufigen Tiefpunkt erreicht.

ZWEITER SATZ: ADAGIO ASSAI

Im Trauermarsch geht's weiter. Leibniz ist für den Soldatenkönig ein Kerl, der nicht einmal als Schildwache taugt, und 1723 verbannt der Preuße den berühmten Aufklärer Christian Wolff aus Halle, eine Riesendummheit, die erst 17 Jahre später durch den Sohn Friedrichs des Großen wiedergutgemacht wird: Wolff wird unter ungewöhnlichen Ehrenbezeichnungen nach Halle zurückberufen. Seinem akademischmilitärischen Lieblingskind widmet aber selbst der Vater seine Aufmerksamkeit: dem Collegium Medico-Chirurgicum in Berlin, das anfangs seiner Armee die Stabsärzte liefert und später als Charité Teil der Humboldtschen Universität wird. Inzwischen gehen die Immatrikulationszahlen weiter zurück. Heidelberg hat zwischen 1701 und 1705 nur achtzig Studenten jährlich, und außer Köln, Leipzig, Wittenberg und Halle haben alle Universitäten weniger als dreihundert Immatrikulierte. Bis zum Ende des Siebenjährigen Krieges 1763 ist die Gesamtzahl auf 7000 gesunken, fast 2000 weniger als 1700, obwohl drei neue Universitäten 1702 in Breslau,1737 Göttingen und 1743 in Erlangen hinzugekommen sind. Der Schnitt liegt nun bei nur 220 Studenten, mehr als eine der reputierlichen Universitäten vegetiert nahe am Existenzminimum: Rostock hat 74, Greifswald 82, Duisburg 71 und Paderborn 45 Studenten. Als bis 1790 die Gesamtzahl noch einmal um tausend sinkt, müssen auch die Hochschulen in Köln, Trier, Straßburg, Ingolstadt und Mainz schließen. Später werfen noch Rinteln,

Bamberg, Helmstedt, Fulda, Duisburg, Paderborn u. a. das Handtuch.

Dieser quantitative Niedergang ist aber nur sekundärer Ausdruck tiefergehender Mängel an deutschen Universitäten, wo sich von 1700 bis 1800 der Herr Professor nicht gerade durch den Geist der Innovation hervortut. Um ein Wort Heinrich Heines zu gebrauchen: Er arbeitet viel und denkt wenig. Immer noch werden trotz Thomasius' Vorbild alte lateinische Bücher vorgelesen, brüstet sich die Medizin mit tiefstem Mittelalter, verknöchert die Theologie immer mehr in Orthodoxie, verliert Jura gegen die neuen aus der Aufklärung abgeleiteten Grundsätze und wandern die Naturwissenschaften in die Akademien ab.

Doch es gibt auch Lichtblicke. Der hellste ist die erste moderne Universität in Göttingen. Diese *alma mater* mit brillanter Zukunft verdankt ihre Gründung einem sehr weltlichen Impuls: dem Konkurrenzneid des Hannoveraner Hauses mit den Hohenzollern. Sobald jedoch dieser Eitelkeit des eher banausischen Georgs II. Genüge getan ist, beginnt Gerlach Adolf von Münchhausen, der erste Kurator, planmäßig und vorsichtig Extreme vermeidend, als Studenten, „Vornehme und Ausländer“ aus England und Rußland anzuziehen, einheimischen jungen Leuten das Studium durch Stipendien und Freitische zu finanzieren und Gelehrte von internationaler Reputation zu Professoren zu berufen. Das liberale Göttingen wird durch seine Bibliothek und großzügige finanzielle Ausstattung für den deutschen Professor so attraktiv, daß es noch Jahrzehnte später z. B. Humboldt nicht gelingt, den Mathematiker Gauß aus Göttingen fortzulocken und für Berlin zu gewinnen.

Neue Akzente werden in Göttingen vor allem in Jura (J. S. Pütter), den philologischen Seminaren (Gesner und Heyne) und insgesamt in den überwiegend „angewandten“ Ausrichtungen in den Naturwissenschaften Physik, Mathematik, empirische Psychologie gesetzt. Neue flexible Curricula werden entwickelt, während andererseits bei den Professoren die Kreativität, also zum erstenmal offiziell neben der Lehre die eigene Forschung, betont wird. Daß daneben für angemessene Unterhaltung: Reiten, Fechten, Tanzen, Flirten gesorgt ist, muß als selbstverständliche Zugabe für die vielen anspruchsvollen Vornehmen und wohlhabenden Ausländer gar nicht weiter erwähnt werden.

Auf der anderen Seite muß man vermuten, daß die kleineren Universitäten, die traditionell Söhne der weniger wohlhabenden Familien angezogen haben, allmählich sogar für die Nichtverwöhnten unattraktiv werden, besonders, da zu Ende des 18. Jahrhunderts selbst ein abgeschlossenes Studium keine Garantie für Aufstieg und gesicherte Zukunft ist.

Für die geistige Elite sind die Universitäten sowieso schon so weit hinter den Idealen und Prinzipien der Aufklärung zurückgeblieben, daß ihr Fall als hoffnungslos gilt.

Die Malaise geht weiter: Bonn muß (vorläufig) schließen, bis 1815 sinkt die Studentenzahl im Lande auf unter 5000. In Halle gibt es 1796 und 1797 wiederholt Studentenaufstände, die auf andere Universitäten übergreifen.

Reformen sind in diesem langsamen Trauermarsch dringend nötig. Tatsächlich gibt es auch hier und da Selbstkritik, Vorschläge und Denkschriften, meistens aber Klagen wie von Christoph Martin Wieland, der drei enttäuschende Jahre in Erfurt lehrt. Ebenso vereinzelt sind plötzliche Niveauanstiege: so in Jena, das in den Jahren vor der Jahrhundertwende mit Fichte, den Brüdern Schlegel, Schelling und Schiller (später auch Hegel) einen kurzen Philosophensommer erlebt. Kurz wie er ist, kündigt er doch schon eine Umwälzung der Fakultäten, des gesamten deutschen Universitätslebens an.

DRITTER SATZ: ALLEGRO VIVACE

Es ist nicht zu erwarten, daß sich der Umschwung im Geschick von Universität und Professor zu Anfang des 19. Jahrhunderts glatt und bruchlos und wie durch ein Wunder über Nacht vollzieht. Wenn auch nicht über Nacht, so ist es doch ein Wunder, was geschieht.

Doch zunächst schließen weitere Universitäten ihre Hörsäle, Jena und Halle fallen 1806 Napoleon zum Opfer, und es sieht gar nicht so aus, als sei die Sternstunde für den deutschen Professor so nahe. Im Gegenteil: Justizminister von Massow, der auch für das Bildungswesen verantwortlich ist, will die Universitäten ganz abschaffen und durch spezielle Fachhochschulen ersetzen.

Zu dieser Zeit gibt es schätzungsweise 658 Ordinarien, 141 Extraordinarien mit manchmal recht dubioser akademischer Qualifikation sowie 86 Privatdozenten. Hauptkriterium für das Aufrücken in die Lehrstuhlposition ist immer noch der Applaus der Studenten, nicht etwa die eigene. originelle Forschung. Neben dieser Abhängigkeit vom studentischen Votum beschränkt auch die finanzielle Abhängigkeit den Hochschullehrer. Zu Kants Zeit etwa beträgt das maximale Jahressalär 400 Taler, was manchmal durch freie Naturalien und billiges Brennholz aufgebessert wird. Die Annahme lukrativer Nebenämter ist nicht gestattet!

Mit dem klassischen Gelehrten Friedrich August Wolf stimmen nun auch andere reformgesinnte Professoren überein, daß der totale Zusammenbruch Preußens 1806 als ein willkommener Anlaß genommen werden müsse, den Staat von innen heraus in seiner Verwaltung, seinen Städten, den Universitäten und Schulen vollständig neu zu gestalten. Sogar der neue Monarch Friedrich Wilhelm III. soll die Professoren ermuntert haben, den militärischen Verlust durch moralischen und intellektuellen Gewinn aufzuwiegen. Es trifft sich überdies günstig, daß Napoleon den alten preußischen Größen wie Hardenberg mißtraut, den er 1807 vorübergehend in Pension schickt, und daß er den ehrgeizigen Freiherrn von Stein 1808 bei Aufwiegelungsversuchen ertappt. Günstig für Wilhelm von Humboldt.

Berlin, das sich nach dem Siebenjährigen Krieg in ein Zentrum kulturellen Treibens und kosmopolitischer Intelligenz entwickelt hat, ist reif für eine Hochschule, einen Fokus für die neue Elite. Fichte z. B. zieht nach seiner Entlassung in Jena über Erlangen nach Berlin und hält private Vorlesungen, nicht zu reden von den vielen ästhetischen Tees und Salons dieser Zeit.

Die Idee zu einer neuen Universität kommt vermutlich mehreren Männern gleichzeitig. Einer der Minister am Hofe Friedrich Wilhelms III., F. K. Beyme, hört mit einer wachsenden Anzahl interessierter Bürger und Beamter beim Privatgelehrten Fichte und macht sich dabei Gedanken, wie solche intellektuellen Resourcen am besten für Preußen in einer staatlichen Institution zu organisieren seien. Als deshalb im August 1807 eine Fakultätsdelegation aus Halle dem König und seinem Minister Beyme die Wiedereröffnung ihrer Universität, aber statt in Halle in Berlin, vorschlägt, ist die Bürokratie schon vorbereitet, detaillierte Denkschriften anzufordern und konkrete Pläne zu machen.

Erst in dieser relativ späten Phase, und auch jetzt noch widerstrebend, betritt Wilhelm von Humboldt die Bühne. Humboldts Begeisterung, unter dem schwachen Ersatzminister Stein zum Altenstein die Sektion für Kultur und öffentliches Bildungswesen zu übernehmen, ist nicht groß. Sehr viel lieber wäre er wieder in Rom seinen eigenen Bildungsinteressen nachgegangen. Alles Sträuben hilft nichts: Am 20. Februar 1909 wird Humboldt als Sektionschef ernannt. Als Hardenberg am 6. Juni 1810 wieder Minister wird, verläßt Humboldt am 14. Juni endgültig sein kurzes Amt, fünf Monate bevor am

15 . Oktober die neue Universität in Berlin ihre Tore öffnet.

Zu dieser Zeit gehören zum Beispiel de Wette für Theologie, Fichte für Philosophie, Klaproth für Chemie, Reil für Medizin, Savigny für Jura, Schleiermacher für Theologie und der schon genannte F. A. Wolf für klassische Philologie der Fakultät an. Einige dieser Gründungsprofessoren, an erster Stelle Fichte und Schleiermacher, haben ihre Gedanken, die neue Universität betreffend, in Denkschriften niedergelegt, die insgesamt den Übergang vom utilitaristischen Brotstudium und von der „modernen" ritterlich-galanten Erziehung Göttinger Prägung zur Epoche ernster *Bildung* markieren. Ihre Ideen der Einheit von Forschung und Lehre, unter dem Dach der königlich garantierten Lehr- und Lernfreiheit, geben bis heute den Ton akademischer Grundlagendiskussionen an. Allerdings wird die akademische Freiheit, im Grundgesetz Artikel 5.3 als „Kunst und Wissenschaft, Forschung und Lehre sind frei" verankert, verfassungsmäßig den Professoren erst 1850 zugestanden.

Fichte wird am 17. Juli 1811 mit einer Stimme Mehrheit zum ersten Rektor gewählt, aber schon am 16. April des nächsten Jahres von Savigny abgelöst, der sich wiederum meistens zu allerlei interessanterem Geschäft in Prag aufhält. So fällt es denn dem überraschend praktischen und politisch geschickten Theologen Schleiermacher zu, zwischen dem Staat und den von Anfang an sehr selbstbewußten und skurrilen Professoren zu vermitteln. Wenn Humboldt auch der „Vater" der Berliner Universität ist, so ist Schleiermacher mindestens die geduldigere Mutter.

Eine andere Entwicklung, die von Kant in seinem Pamphlet über den Streit der Fakultäten (1798) teilweise vorweggenommen wurde, betrifft die allmähliche Gleichberechtigung und schließliche Dominanz der philosophischen Fakultät - zumindest bis etwa 1825, als die Naturwissenschaften ihren Siegeszug antreten. So mag es auch von weitreichender historischer Bedeutung sein, daß Geisteswissenschaftler wie Humboldt und Schleiermacher in den ersten Jahren den Kurs bestimmen und nicht etwa Alexander von Humboldt, Gauß oder Männer vom Schlage des später geborenen Chemikers Liebig. Auf humanistischem Humus entwickelt sich zwar, ausgehend vom Schellingschen System, eine kuriose Naturphilosophie romantisch-idealistischer Form; sie wird aber von den kommenden, „hard-core"-Wissenschaftlern wie Bunsen, Wöhler und besonders Liebig als metaphysisches Delirium und als Betrug an der akademischen Jugend verurteilt. Als sich schließlich liberalere Forscher wie Helmholtz für die neuen Naturwissenschaften einsetzen und ihre antispekulative, experimentelle Methode gegen die dogmatische und deduktive Denkungsart eines Hegel verteidigen, ist es für eine Synthese schon zu spät. Die sieben freien Künste sind für immer in zwei Abteilungen gespalten, die Geistes- und die Naturwissenschaften.

Während sich intern diese Umwälzungen abspielen, steht natürlich auch die externe politische Entwicklung nicht still. Ausgehend von Jena 1815, etablieren sich die Burschenschaften, von deren Wartburgfest 1817 eine gerade Linie über Kotzebues Ermordung 1819 bis zu Metternichs Karlsbader Beschlüssen führt. Bereits neun Jahre nach der Eröffnung eines ganz neuen Kapitels deutscher Universitätsgeschichte ist also die Reaktion schon auf einem ersten Höhepunkt. Herde anarchistischer Umtriebe werden überall in Schulen und in Universitäten vermutet; weshalb die Lehre dortselbst sowie auch die Presse darüber genau überwacht werden müsse. Diese Beschlüsse bleiben bis zur Revolution 1848 in Kraft. Ihre Durchführung wird von einem Mainzer Spionagezentrum aus überwacht.

1819 kommt es auch zu den ersten Professorenentlassungen aus politischen Gründen, eine nicht ungewöhnliche Praxis, die sich bei der Amtsenthebung der Göttinger Sieben

1837, bei der Demission Mommsens 1851, Straußens in Tübingen sowie Moleschotts und Kuno Fischers in Heidelberg als Tradition fortsetzt. In der Mehrheit fühlen sich die Professoren aber wohl in ihrer Haut und den Gralsburgen ihrer Wissenschaften, die vom Staat zwar kontrolliert, aber auch gefördert werden. Kritische oder auch nur nüchtern verhaltene Stimmen wie die Rankes werden, je näher wir dem Bismarckschen Jahr 1870 kommen, durch patriotische lautere Rufe nach nationaler Einheit und Größe übertönt. Dominieren wird endlich die folgende Generation der Professoren Droysen, Sybel und Treitschke, welch letzterer dem nationalen Gedanken über der historischen Wahrheit die Ehre gibt und Bismarcks Edition der Emser Depesche ausdrücklich lobt.

Es besteht kein Zweifel, daß sich der vom Staate windgeschützte deutsche Professor in diesem dritten Satz seiner Geschichte auf ein wissenschaftliches Leistungsniveau schwingen kann, das in aller Welt mit Recht bewundert wird. Die Rückseite seines Images zeigt aber auch um so deutlicher ein Bild seiner eigenen Parodie des spitzfindigen Besserwissers, der in einer Festschrift seinem verehrten Kollegen neunzig Seiten trockenster Etymologie zum Wort „Element" widmet und sich mit einigem Recht von Schopenhauers und Nietzsches satirischer Feder aufgespießt sieht.

VIERTER SATZ: ALLEGRO MOLTO

Als Nietzsche in den frühen siebziger Jahren des 19. Jahrhunderts der *universitas magistrorum* seine Verachtung für den pedantischen und mittelmäßigen „wissenschaftlichen" Gelehrten entgegenbringt, trifft er eigentlich nur die Vertreter der Geisteswissenschaften wie Burckhard, Dilthey, Wilamowitz, Diels, die sich auch ordentlich beleidigt fühlen durch die Vehemenz und, von ihrem Standpunkt aus, durch die Ungerechtigkeit der Vorwürfe. Denn nicht nur der Status des deutschen Ordinarius ist auf einem Zenith, sondern das Humboldtsche Modell der Integration von Forschung und Lehre wird zu dieser Zeit bereits international als überlegen anerkannt und nach Amerika (Johns Hopkins University, Yale University u. a.) exportiert. Und wer war überhaupt dieser Doktor Nietzsche? Sein Buch über die Geburt der Tragödie genügt jedenfalls nicht den wissenschaftllichen Ansprüchen des großen Wilamowitz!

Friedrich Nietzsche: Unzeitgemäßes betrachtend

Wie dem auch sei, das schwerfällige Flaggschiff der Geisteswissenschaften ist längst von den flinkeren Naturwissenschaften eingeholt und, was ihren Erfolg und ihre alltägliche Bedeutung betrifft, am Ende des Jahrhunderts überholt worden. Das technische Zeitalter beginnt und mit ihm die Krise einer untechnischen Intelligenzija, die von ihren Vertretern oft bombastisch als Krise der europäischen Kultur, als deren

„Träger“ sie sich betrachtet, bezeichnet wird. Liest man heute in den Erinnerungen des berühmten Philologen Ulrich von Wilamowitz-Moellendorf, wie die Bewahrung preußischen Junkertums und die platonischen Staatsideen zur Rettung der abendländischen Werte zusammengehen müssen, Werte, die durch die demokratisch-vulgären Massen und die sie beherrschende Technik bedroht sind, dann wundert es angesichts solcher bildungsschweren Biedermännerei eigentlich nicht, wenn auch weit geringere Geister noch einen Schritt über die klagende Diagnose hinausgehen und ihr subjektives Mißtrauen, mit allerlei „Kulturgut“ aufgepäppelt, der Welt als rettende Synthese und Therapie anbieten.

So entsteht in der unsicheren Zeit des Fin de siècle ein neuer Irrationalismus, dessen Wurzeln oft auf mißverstandene Nietzsche-Lektüre und einen aufgebauschten romantischen Idealismus zurückführbar sind, was sich dann zusammengebraut als trivialster Antirationalismus äußert. Die von Wilamowitz noch durch akademische Fußnoten beschwerten Ressentiments schlagen auch noch bei dem Orientalisten Paul de Lagarde streckenweise ernst zu nehmende Töne an, die, wie im ersten Band von Spenglers „Untergang des Abendlandes“, schon wegen der dort schriftlich dokumentierten Gelehrsamkeit nicht überhört werden.

Sogar an Spenglers Erfolg gemessen ungleich populärer ist ein Buch, das in weniger als drei Jahren vierzig Auflagen erlebt haben soll und noch nach 1925 in ungezählten Volksausgaben verbreitet ist: der 1890 erschienene Reißer „Rembrand als Erzieher“ von Julius Langbehn. Nach der Lektüre dieses Machwerks (das ich übrigens in allen benutzten Bibliotheken in Berlin, Colorado und Kalifornien fand) können mich weder Alfred Rosenbergs „Mythos des zwanzigsten Jahrhunderts“ noch Hitlers, „Mein Kampf“ überraschen. Langbehns einzigartige Schlammschlacht stellt die angeblich unschuldige deutsche Seele mit ihrem Instinkt für Einfachheit, Größe und Tiefe der flachen, trockenen Vernunft gegenüber und entwirft in weit ausholenden Polaritäen (z. B. zwischen dem „„wahren Menschen“ und dem „deutschen Professor“) einen grellen Teppich zukünftiger westlicher Kulturhoheit, die einem das Grausen beibringen kann.

Mir scheint nach stundenlangem, mühsamem Durchwaten der Langbehnschen Zähprosa, daß dieser Exponent polemischer Halbbildung als typisches Vorläuferphänomen bisher unterbewertet worden ist, unmittelbar jedenfalls einen größeren Effekt auf den Wähler zwischen 1890 und 1933 hat als das elitäre Sektierertum der George-Epigonen.

Es ist heute leicht, den Untergang des deutschen Professors holzschnittartig und in starken Worten von Schuld und Schande zu beschreiben. Wer sich jedoch ein wenig weiter in die persönlichen Geschichten mit ihren beruflichen Verstrikkungen und privaten Verwirrungen hineinliest, der mag hier und da ein gnädigeres Urteil fällen. Der deutsche Professor hat auch oft für mildernde Umstände plädiert, auf seine politische Unschuld pochend. Er wurde, sagt er, die Geister der kulturellen Erneuerung, die er gerufen, aber doch *so* nicht gewollt hat, so rüde und so vulgär, nicht mehr los.

Im eigenen Land hat er jedenfalls lebenslänglich bekommen und zu der (Selbst-)Kasteiung noch den Hohn: „Die historische Faustregel gilt wohl: der deutsche Professor ist feige, es sei denn, es geht um sein Gehalt oder seine Ferien“, schreibt Professor Horst Baier in der, „FAZ“, Nr.166, auf der Seite 9. Während sich also die immer noch hoch angesehene Forschung gelegentlich zur Rechtfertigung fragwürdiger Theorien einsetzen läßt, leiden Lehre und Erziehung immer mehr unter dem Hochmut abstrakten Spezialistentums und unter konkretem Desinteresse. Eine oft gerühmte Ausnahme bildet Max Weber, der 1919 auf Einladung Münchner Studenten seine Vorlesung „Wissenschaft als Beruf“ hält. Hier wird der Beruf, nicht die innere Berufung des Hochschullehrers zum erstenmal ohne Fichtesches Pathos nüchtern als eine sehr schwierige und spezialisierte Beschäftigung dargestellt, deren Resultate überdies nicht für die Ewigkeit, sondern für den endlichen Menschen gemacht werden und mit ihm vergänglich sind. So wie Weber die Rolle des Professors von der des geistigen Führers und inspirierten Weltverbesserers trennt, so scheidet er auch die akademische Leistung von der politischen Überzeugung, die er oft unter dem Alibi akademischer Freiheit als politischmoralische Meinungsmache aus Kollegenmund verbreitet hört. Zwar sei es jedermanns Pflicht und Schuldigkeit, für seine Überzeugungen einzustehen, aber nicht als Kathederprophetie im Auditorium.

Trotz der grundsätzlichen moralischen Wertfreiheit der Wissenschaft per se könne die liberale Universität doch eine erzieherische Aufgabe übernehmen, die über das intellektuelle Trainingsprogramm der Fächer hinausgehe, nämlich die Vermittlung von Kriterien für rationale Entscheidungen in Konfliktsituationen. Dies klingt eher wie eine Einladung zur bewußten Desillusionierung denn als Ausgabe einer neuen Illusion des Bewußtseins. Daß Weber trotz seiner aufrichtigen Direktheit letztlich mit seiner ernüchternden Botschaft gescheitert ist, wird nach seinem frühen Tode 1920 immer klarer. Sein ehrliches Eingeständnis, was die Wissenschaft, die Universität, der Professor *nicht* sein können und dürfen, ist in einer von Kritik und Krise verunsicherten Epoche einfach nicht „positiv" genug. Dem Zeitgeist ist nicht nach historischem Relativismus zumute, das akademische Establishment findet in dem genauen Auseinanderhalten von Wissenschaft hier und Bildung da keinen Grund zu einem bescheideneren Berufsbild, und, wie Langbehns Erfolg demonstriert, das breite Publikum war sowieso längst auf pseudoreligiösen Trips in Richtung Eskapismus abgefahren. Obwohl Weber fast allein gegen diesen irrationalen Strom schwimmt, verhallen seine Worte im folgenden Jahrzehnt nicht ungehört. Sie bilden den

Samen zu einer großen Debatte über die Zukunft von Gelehrsamkeit und Gelehrten, über die Rolle von Kultur und ihren „Trägern". Die zum Teil sehr globalen und konfusen Beiträge kommen zuerst vor allem von außerakademischen Polemikern mit ihrem lebensphilosophischen Vokabular der „Eingebung" und des inneren „Erlebens". Es ist die hohe Zeit engagierter Pamphlete, pro und contra Freud, für und wider die Gestaltpsychologen, gegen analytische Zersplitterung und „Zersetzung", für die Sicht auf das „Ganze", das „Wesen", den „Sinn". Sogar Mandarine wie Jaspers, der Webers Ideen nahesteht und den spirituellen Revolutionsslogans der Apostel à la Krieck und Kahler fernbleibt, sprechen und schreiben vornehmlich in Analogien, synthetischen Metaphern, schweren Substantiven wie „Geist" und „Ganzwerdenwollen". Selbst die neue Wissenssoziologie von Max Scheler, der durch die Dreiteilung des Wissens in, „Leistungswissen", „Bildungswissen" und „Erlösungswissen" Ordnung in die Weber-Diskussion bringen will, ist nicht frei vom Vorwurf obskurer und elitärer Sprachbildungen aus dem traditionellen Vokabular des 19. Jahrhunderts.

Ganz neue Ansätze einer Soziologie, „situationsbedingten" Wissens schlägt dagegen Karl Mannheim vor, der zwar auch noch kantische Analogien verwendet, der aber auch zum erstenmal marxistische Terminologie benutzt, um den dynamischen Aspekt der Wissenschaft und ihres Wandels zu beschreiben. Diese radikaleren Diskussionsbeiträge von Männern wie Mannheim und Vossler machen die gemäßigten Kollegen wie Ernst Robert Curtius nur noch hilfloser. Während so die Professoren und Geheimräte im Strudel von Massendemonstrationen und Studentenunruhen die Welt nicht mehr verstehen, wird auch schon in Jena der erste Lehrstuhl für Rassenwissenschaft besetzt. Das ist der Anfang vom Ende des deutschen Professors .

Weitere Literatur:

Zwei der am häufigsten zitierten Werke sind Friedrich Paulsens „Die deutschen Universitäten und das Universitätsstudium" (Berlin 1902) und die zweibändige „Geschichte des gelehrten Unterrichts auf den deutschen Schulen und Universitäten vom Ausgang des Mittelalters bis zur Gegenwart" (Leipzig 1919). Ernst Anrich hat die Denkschriften von Fichte, Schleiermacher, Humboldt u. a. unter dem Titel „Die Idee der deutschen Universität" (Darmstadt 1964) neu herausgegeben; vgl. auch R. Königs „Vom Wesen der deutschen Universität" (Darmstadt 1970) und Helmut Schelskys „Einsamkeit und Freiheit" , 2. , um einen „Nachtrag 1970" erweiterte Auflage (Düsseldorf 1971).

Weniger ideengeschichtlich als bildungspsychologisch interessiert ist F. K. Ringers umfangreiches Buch „The Decline of the German Mandarins" (Cambridge 1969), das sich auf die Zeit 1890 bis 1933 konzentriert. Eine wissenschaftssoziologische Studie ist Charles E. McClellands „State, society, and university in Germany 1700 - 1914" (Cambridge 1970), dem wir viele Daten verdanken, während das kurze, aber klare Buch „The German university. A heroic ideal in conflict with the modern world" (Boulder 1980) besonders die Zeit nach 1945 berücksichtigt. Diese drei letztgenannten englischen Werke listen eine umfangreiche Bibliographie zur Universitätsgeschichte seit den Anfängen.

Max Webers Vorlesung „Wissenschaft als Beruf" ist in 2. Auflage in den „Gesammelten Aufsätzen" (Tübingen 1951) erschienen. Siehe dazu auch Ludwig Raisers „Wissenschaft als Beruf. Neu erörtert" (Stuttgart 1964) und Kurt Töpners „Gelehrte Politiker und politisierende Gelehrte. Die Revolution von 1918 im Urteil deutscher Hochschullehrer" (Göttingen 1970).

Ein eindrucksvolles Dokument für die persönliche Seite im Leben deutscher Mandarine ist der Briefwechsel des Theologieprofessors Hans Lietzmann mit seinen Freunden und Kollegen, mit ausführlicher Einleitung und vielen Anmerkungen herausgegeben von Kurt Aland unter dem Titel, „Glanz und Niedergang der deutschen Universität" (Berlin 1979).

Eine neuere, gut lesbare Universitätsgeschichte hat Walter Jens geschrieben: „Eine deutsche Universität. 500 Jahre Tübinger Gelehrtenrepublik" (Stuttgart 1977).

Einer der Essays in Gordon Craigs auch ins Deutsche übersetzte Buch „The Germans" (New York 1982) ist den deutschen Professoren und Studenten gewidmet. Craig ist einer von vielen Historikern, die die Ursprünge des Dritten Reiches in den antirationalistischen Traditionen der deutschen Romantik und des Idealismus sehen.

APPENDIX: PROFESSORENLEXIKON

IN WELCHEM DEFINITIONES VON ALLERLEY GEGENSTAND AUFGESTELLT SIND DIE FÜR DIE DOCTORES UND PROFESSORES DER DEUTSCHEN UNIVERSITÄTEN UND SCHULEN IN LECTIONIBUS SOWOHL ALS IN CONSERSATIONIBUS VON GROSSEM VORTEIL DÜRFTEN SEIN

Diese auf den folgenden Seiten zusammengestellte Auswahl berücksichtigt nur einige der häufig in Vorlesungen, Seminaren, Reden zum Abitur und bei offiziellen Anlässen (Empfang beim Bürgermeister, ästhetischer Tee, DFB-Pokal) benötigten Begriffe und hat das Ziel, einer gelegentlich obwaltenden Verwirrung durch einfache, aber strenge, meist von gebildeten Autoritäten stammende Definitionen Einheit zu gebieten. Zur vertieften Lektüre akademischer Grundbegriffe sei hier auch verwiesen auf Voltaires,“Dictionnaire philosophique“, Ambrose Bierces „The Devil's Dictionary“, Gustave Flauberts „Dictionnaire des idées reçues“ und besonders auf Pierre Guirauds „Dictionnaire historique, stylistique, rhétorique, étymologique, de la littérature érotique“ (Paris 1978), wo geläufige Wendungen aus dem Bereich der Hochschule oft eine überraschend frische Bedeutung erhalten; erwähnt seien nur „être en lecture“, „savante“, „faire gaudeamus“, „donner une leçon de physique expérimentale“. . .

Das folgende Lexikon enthält die Einträge:

AFTERPHILOSOPH
ALLES EINS
ANSCHAUUNG
ARBEIT
BEGEISTERUNG
BERUFUNG
BIBLIOTHEK
BILDUNG
BUCH
BÜCHERNARR
CURRICULUM VITAE
DOKTOR
DOKTOR WERDEN
EMIGRATION
EXAMEN
FREIHEIT, AKADEMISCHE
GELEHRTER
GELEHRTENSCHÄDEL
GÖDELS THEOREM
HABILITATION
HABILITATIONSWAAGE
IMAGINÄRE ZAHLEN
JUNGFRAU
KATHEDER
KATHEDERPHILOSOPHEN
KATHEDERWEISHEIT
KATHETERPHILOSOPH
KONKRET VS. ABSTRAKT
KOPIERMASCHINE
LIEBESGEDICHT
LOB DES LERNENS
LOBESASSEKURANZGESELLSCHAFT

MATHEMATIK
MENGENLEHRE
ORGASMUS
PATAPHYSIK
PETIMATEREI
PHILOSOPH
PHILOSOPHIE
PLAGIAT
POESIE
POLEMIK
REDE
REZENSENT
RUF
SCHÜRZENSTIPENDIUM
SELBSTBEWUSSTSEIN
SELBSTBEZUG
SPRACHGRIEBEN
STELLUNG
STUDENT
STUDIEREN
TARANNE-SYNDROM
UNIVERSITÄTSWANZEN
UNTERSCHIED
VADEMECUM
VERNUNFT
WELTGESCHICHTE
WESEN
WISSENSCHAFT
WISSENSCHAFTLICHER MENSCH
WISSENSDIENST
WÜRMER
ZERSTREUTHEIT
ZWEIFEL

AFTERPHILOSOPH

nach Schopenhauer: Fichte, Schelling und (besonders) Hegel. Neuerlich meist gräzisiert als Metaphilosophen bezeichnet. Beispiel: Richard Rorty.

Im Englischen auch „afterthought" = Nachdenken sehr geläufig

ALLES EINS

Wenn einer den Pythagoräischen Lehrsatz kennt und sagt: damit sei nicht gegessen noch getrunken; - ein Anderer: was soll mir das? es ist um Anwendung für's Leben zu thun; ich muß meine Totalität darin ausgesprochen finden; - ein Dritter: es geht daraus keine Nutzanwendung, keine Weisheitsmaxime für's moralische Leben heraus; - so ist dies Alles Eins, aber wir ehren den Ausdruck so, daß wir das Erste bäurische Tölpischkeit, das Zweite gesunden Menschenverstand, das Dritte Eifer für das moralische Interesse der Menschheit nennen.

Hegel, Aphorismus aus der Jenenser Periode,
zit. in Rosenkranz, S. 541 f.

ANSCHAUUNG

Das Anschauen schöner Mädchen trug zu unserer Unterhaltung auch nicht wenig bei.

Hegel, Tagebuch aus der Gymnasialzeit,1. Januar 1787,
zit. in Rosenkranz, S. 447

ARBEIT

Die Arbeit des Gelehrten und das Tagwerk seines Lebens wird eben jenes einsame Nachdenken sein; zu dieser Arbeit ist er nun sogleich anzuführen, die andere mechanische Arbeit ihm dagegen zu erlassen.

Joh. Gottl. Fichte,10. Rede an die deutsche Nation (1808)

BEGEISTERUNG

(des Lehrers) Es handelt sich um einen beschränkten Gegenstand, den er nicht vollkommen beherrscht, aber mit aller Kraft darbietet. Die Schüler werden von anderer Seite über den Gegenstand besser informiert werden. Aber während sie den hartnäckigen Reden des Lehrers zuhörten, haben sie etwas gelernt, was sie nicht bemerkten. Seine Lächerlichkeit ist etwas für's Leben. Sie werden daran mit größter Andacht zurückdenken. Je tiefer der Lehrer in der Vergangenheit versinkt, desto höher wird in den Schülern die Andacht steigen.

Martin Walser, Ein fliehendes Pferd. Novelle,
Frankfurt/M.1978, S.14

BERUFUNG

Das akademische Professorenthum erhält heute seinen Hauptreiz, seine Abwechslung, gleichsam seine Etappen, durch die Berufungen. Wir haben jedoch zwei Arten von Berufungen genau zu unterscheiden, die wirkliche Berufung und die Scheinberufung, welche nur die Stelle einer liebenswürdigen Visitenkarte bei den Berufungen vertritt, deren er zu geeigneter Zeit eingedenk sein soll. Nach dieser Auseinandersetzung (q. v. Flach, S. 241-248) wird es begreiflich sein, daß die Berufung als solche mit einem Glückspiel zu vergleichen ist, bei welchem einer Glück, ein anderer Unglück haben kann.

Dr. Joh. Flach (1886), S. 240, 242, 248

BIBLIOTHEK

(gr.) Bücherstellplatz, auch: Bücherei. Nach Jorge Luis Borges unendlich und zyklisch. Einzelheiten s. bei Umberto Eco „Der Name der Rose".

BILDUNG

Na ja, Bildung mögen diese Leute, die Litteraten, Künstler, Erfinder etcetera ja haben, aber die Hauptsache fehlt: examina!

Äußerung von Geheimrat und Professor,
Simplicissimus,4. Jahrg., Nr. 8, Beiblatt

BUCH

Es giebt deutsche Gelehrte, die jedesmal erbleichen, wenn sie ein neues Buch in die Hand nehmen, weil sie darin eine Schmälerung ihres litterarischen Ruhmes erblicken.

Dr. Joh. Flach (1886), S. 74

BÜCHERNARR

auch: vas librorum = Bücherfaß;
Den vordantz hat man mir gelan,
Dann ich on nutz vil bücher han,
Die ich nit ließ und nit verstan.

S. Brant, Narrenschiff (1494)

CURRICULUM VITAE

(lat.) Lebenslauf, auch: Bildungsgang. Vorbildlich noch immer Arthur Schopenhauers Lebenslauf, eingereicht zus. mit seinem Habilitationsgesuch an den Dekan Boeck in Berlin; ins Deutsche übertragen und abgedruckt von Wilhelm von Gwinner in „Schopenhauers Leben", 3., neugeordnete und verbesserte Ausgabe, Leipzig 1910, auf den Seiten 157 bis 166. Trotzdem wurde seiner Habilitation stattgegeben, mit der Stimme Hegels 7 : 3.

Sehr bemerkenswert auch Professor Dr. mult. Wolfgang Stegmüller bei Reclam.

DOKTOR

Eine akademische Würde, die auch Abwesenden, wenn sie ein Specimen einschicken, für Geld ertheilt wird. Der Doktor der Gottesgelahrtheit rangiert über allen übrigen. Ihm folgt der Doktor der Rechte, dann der Doktor der Arzneygelahrtheit und endlich der Doktor der Weltweisheit, welches gemeiniglich ein annexum der Magisterwürde ist. Das Wort *Doktor* wird zuweilen in einem ganz besonderen Sinne gebraucht. So pflegte ein gewisser Lehrer bey einem Gymnasium, wenn er zu seinen Untergebenen sagen wollte: Seyd keine Narren!

sich also auszudrücken: Man sey kein Doktor. Dieses sollte vermutlich höflicher seyn, konnte aber auch so ausgelegt werden, als ob ein Doktor und ein Narr gleichbedeutende Redensarten wären.

Kindleben, Studenten-Lexicon (1781), S. 61 f.

DOKTOR WERDEN

(auch: PROMOVIEREN) Das Doktor-Werden ist eine Konfirmation des Geistes.

Prof. Lichtenberg, Sudelbuch F [19]

EMIGRATION

allg. E.: Verlassen des Geburtslandes zum Aufsuchen einer neuen Bleibe; zerfällt in zwei disjunkte Klassen:

1. äußere E.: durch ökonomische, politische Gründe und Gewissenserwägungen veranlaßtes oder erzwungenes Verlassen deutschen Bodens während des Dritten Reiches; betroffen auch deutscher Professor

2. innere E.: innere, durch ökonomische. . . etc. wie oben unter 1

EXAMEN

s. unter BILDUNG, WISSENSCHAFT,
speziell:
Prinzenexamen

Auch Prinzen haben die Weisheit vonnöten,
Darum schickt man sie auf die Universitäten,
Damit hierorts ihr Verstand gedeiht.
So geschah es einem vor einiger Zeit.

Aber nach Ablauf von nur zwei Jahren,
Von denen er das meiste auf der Eisenbahn gefahren,
War des Prinzen Hoheit so klug,
Daß man fand, es sei nunmehr genug.

Um jedoch den Schein zu vermeiden,
Als sei es anders bei den Königlichen Hoheiten,
Wie es bei den übrigen Studiosis sei,
Ließ er sich zu einem Examen herbei.

Die Professoren, welche dieses sollten wagen,
Kamen herbei mit großem Zittern und Zagen,
Sie scharrten demütig mit dem Fuß
und entboten dem Prinzen ihren Gruß.

Der Herr Rektor machte den Anfang
Und gab seiner Stimme einen sanften Klang,
Indem er fragte mit ergebenem Ton:
„Hoheit, was ist eine Konstitution?“

Hier antwortete des Prinzen erlauchte
Person, wozu er längere Zeit gebrauchte:
„Konstitution ist, wenn das Volk stets tut,
Was uns höchstselbst zu belieben geruht.“

Über diese Antwort des hohen Kandidaten
Konnten sich die Professoren der Freude nicht entraten,
Und es herrschte große Verwundernis
Über den filium principis.

Nun begann ein Professor zu fragen:
„Belieben Hoheit mir geneigtest zu sagen,
Welche Befugnis man kennt
Als eigentümlich dem Parlament?“

Hier antwortete der Prinz: „Herr Professor,
Je weniger es solche gibt, desto besser,
Weil der Untertan dadurch beirrt
Im Betreffe seines Gehorsams wird.“

Auch diesesmal konnten nicht unterdrücken
Die Herren Professoren ihr helles Entzücken,
Und sie haben sodann unverweilt
Dem Prinzen das Reifezeugnis erteilt.

Hieraus ist es als bewiesen erschienen:
Wenn einer als Doktor will sein Brot verdienen,
Braucht er zehn Semester allhier.
Für einen König reichen schon vier.

Ludwig Thoma, Gesammelte Werke, Bd. 8, München 1956

FREIHEIT, AKADEMISCHE

Die vielbesungene akademische Freiheit wird aus der deutschen Universität verstoßen; denn diese Freiheit war unecht, weil nur verneinend.

Prof. Dr. habil. Marin Heidegger, Die Selbstbehauptung der deutschen Universität, vom 27. Mai 1933, Breslau 1933, S.15

In Preußen gehen wieder um
Die Kamptz- und Schmalzgesellen.
Und wissen sich so frech und dumm,
wie einstens anzustellen.

Was schreit ihr Jungen Ach und Weh,
Daß sie die Freiheit rauben?
Wann blühte die in Preußen je?
Wann gab es Treu und Glauben?

Denkt ihrer Namen, Arndt und Jahn!
Als euer Land zerrissen,
Das Beste haben sie getan
Und wurden weggeschmissen.

Als Friedrich Wilhelms Königsmut
Sich vor dem Feind verschloffen,

Da deuchte ihm das Volk so gut,
Sein Herz stand allen offen.

Und hinterher und hinterdrein
Nach überstand'nen Nöten,
Er sperrte die Getreuen ein,
Und alles Recht ging flöten.

Und Fritzing Reuter saß im Loch,
Weil er ein Band getragen,
Das hielten alle Burschen hoch,
Die Waterloo geschlagen.

Was schreit ihr Jungen Ach und Weh,
Daß sie die Freiheit rauben?
Wann blühte die in Preußen je?
Wann gab es Treu und Glauben?

Ludwig Thoma, Die akademische Freiheit,
in Gesammelte Werke, a. a. O.

S. auch Max Weber, „Die sogenannte „Lehrfreiheit“ an den deutschen Universitäten“, Frankfurter Zeitung und Handelsblatt Nr. 53262 vom 20. September 1908

Zur graphischen Darstellung siehe: „Die Freiheit der Wissenschaft“, Titelblatt des „Simplicissimus“, 5. Jahrg., Nr. 4. Zeichnung von Th. Th. Heine.

GELEHRTER

Im Verhältnis zu einem Genie, das heißt zu einem Wesen, welches entweder zeugt oder gebiert, beide Worte in ihrem höchsten Umfange genommen -, hat der Gelehrte, der wissenschaftliche Durchschnittsmensch, immer etwas von der alten Jungfer: denn er versteht sich gleich dieser nicht auf die zwei wertvollsten Verrichtungen des Menschen. In der Tat, man gesteht ihnen beiden, den Gelehrten und den alten Jungfern, gleichsam zur Entschädigung die Achtbarkeit zu - man unterstreicht in diesen Fällen die Achtbarkeit - und hat noch an dem Zwange dieses Zugeständnisses den gleichen Beisatz von Verdruß.

Friedrich Nietzsche, Jenseits von Gut und Böse,
Sechstes Hauptstück, Wir Gelehrten, Nr. 206

GELEHRTER (Forts.)

Im dritten Stück „Schopenhauer als Erzieher" der „Unzeitgemäßen Betrachtungen" werden die Gelehrten ausführlicher unter verschiedenen Gesichtspunkten untersucht und „seciret", „nachdem sie selbst sich gewöhnt haben, alles in der Welt, auch das Ehrwürdigste, dreist zu betasten und zu zerlegen. Soll ich heraussagen", fährt Nietzsche fort, „was ich denke, so lautet mein Satz: der Gelehrte besteht aus einem verwickelten Geflecht sehr verschiedener Antriebe und Reize, er ist durchaus ein unreines Metall." Als zuvörderste Beimischung werden dann genannt: „eine starke und immer höher gesteigerte Neubegier . . . Dazu füge man einen gewissen dialektischen Spür- und Spieltrieb, die jägerische Lust an verschmitzten Fuchsgängen des Gedanken . . . Nun tritt noch der Trieb zum Widerspruch hinzu . . . Der Kampf wird zur Lust und der persönliche Sieg ist das Ziel, während der Kampf um die Wahrheit nur der Vorwand ist."

GELEHRTENSCHÄDEL

Höhenumfang von der Nasenwurzel bis zur protuberantia occipitalis 370 Millimeter; Höhenumfang über der Ohrenbreite 330; Umfang des Hinterhaupts von Ohr zu Ohr 260; Umfang des Vorderhaupts von Ohr zu Ohr 330; Querumfang über Stirn und Hinterhaupt 600... Also, was beim ersten Blick auf diesen Schädel am meisten imponiert, ist dessen Breite zwischen den ziemlich tief stehenen Ohren... Dagegen fiel mir sein Hut, obwohl ich über Mittelmaaß trage, fast über die Ohren.

Wilhelm v. Gwinner, Schopenhauers Leben,
Leipzig 1910, S. 400 f. u. 396

GÖDELS THEOREM

Die Fliege, die nicht geklappt sein will, setzt sich am sichersten auf die Klappe selbst.

Prof. Lichtenberg, Sudelbuch J [415)

HABILITATION

vom Lat. habilis = handlich, tauglich; habilitas, atis f. = geschickte Anlage; im übertragenen Sinne eine handliche Arbeit. Kumulative H.: wolkenbildende geschickte Anlage.

HABILITATIONSWAAGE

Quod vide die linke Hand der Justitia; beachte aber gleichzeitig rechte Hand derselben.

IMAGINÄRE ZAHLEN

Es ist, wie wenn man sagen würde: hier saß sonst immer jemand, stellen wir ihm also auch heute einen Stuhl hin; und selbst, wenn er inzwischen gestorben wäre, so tun wir doch, als ob er käme.

Robert Musil, Die Verwirrungen des Zöglings Törleß, (1906), in Ges. Werke II, Reinbek 1978, S. 73

JUNGFRAU

Schon ehe wir bei der Hütte anlangten, hatten wir eine Seite derjenigen Jungfrau, die in Bern so genannt wird, zu unserer Rechten, und die anderthalb Stunden, die wir uns ihr gegenüber befanden, hörten wir alle Augenblick ein Donnern . . .

Hegel, Tagebuch der Reise in die Berner Oberalpen 1796,
zit. in Rosenkranz, S. 475

Eine rechte Jungfrau soll sein und muß sein wie eine Spitalsuppe, die hat nicht viele Augen, also soll sie auch wenig umgaffen.

Abraham a Sancta Clara, zit. nach Barbara Frischmuth,
Die Klosterschule, Salzburg 1978

KATHEDER

(gr.) Hinternstütze, Professorensitz; leicht zu verwechseln mit Katheter. Letzterer jedoch i. a. kleiner.

KATHEDERPHILOSOPHEN

nach Schopenhauer Universitätsphilosophen, insbes. Fichte, Schelling, Hegel.

KATHEDERWEISHEIT

unfruchtbare Schulgelehrsamkeit, meist verbunden mit schulfüchsiger Rechthaberei:

Ob Vergils Dido mit Aeneas ein Pfeifchen Tabak geraucht habe; Ob David bereitts coffée getrunken; Ob Horaz die triefichten Augen von dem Rauche einer Oellampe, oder von den gesalznen Fischen bekommen, die er in der Jugend bei seinem Vater gegessen; Ob Cleopatra bei ihrem Selbstmord die Schlange nicht an die Brust, sondern an den Arm angesetzt habe.

KATHETERPHILOSOPH

Dr. med.; insbes. Urologe

KONKRET VS. ABSTRAKT

Konkret ist die Leberwurst, abstrakt ihre abgezogene Haut.

Volkstümlicher Aristotelismus

KOPIERMASCHINE

Flipper oder Spielautomat des Assistenzprofessors

LIEBESGEDICHT

(schlechtes), z. B. wie folgt:

Der Chor zieht durch die Gassen,
Wir stehn vor deinem Haus;
Mein Leid würd mir zu Freuden,

Sähst du zum Fenster aus.

Der Chor singt auf der Gasse
Im Wasser und im Schnee:
Gehüllt im blonden Mantel
Zum Fenster auf ich seh.

Die Sonne hüllen Wolken,
Doch deiner Augen Schein
Er flößt am kalten Morgen
Mir Himmelswärme ein.

Dein Fenster hüllt der Vorhang;
Du träumst auf seid'nem Pfühl
Vom Glücke künft'ger Liebe,
Kennst du des Schicksals Spiel?

Der Chor zieht durch die Gassen:
Vergebens weilt mein Blick;
Die Sonne hüllt der Vorhang:
Bewölkt ist mein Geschick.

Arthur Schopenhauer, An Karoline Jagemann, S. 6 f.,
Der handschriftliche Nachlaß, Bd.1,
Hrsg. Arthur Hübscher, Frankfurt/M.1966

LOB DES LERNENS

Lerne das Einfachste! Für die
Deren Zeit gekommen ist
Ist es nie zu spät!
Lerne das Abc, es genügt nicht, aber
Lerne es ! Laß es dich nicht verdrießen !
Fang an! Du mußt alles wissen!
Du mußt die Führung übernehmen.

Bertolt Brecht, Gedichte, Bd. 6 der Gesammelten Werke,
Frankfurt/M.1967, S. 462

LOBESASSEKURANZGESELLSCHAFT
(auch: L. AUF GEGENSEITIGKEIT)

akademische Versicherungsgesellschaft, welche sich gewöhnlich um ein Haupt oder eine Sonne schaart, und von welcher man nur durch Vermittlung seiner persönlichen Eigenschaften Mitglied werden kann. Jedes Mitglied ist fleißig, gelehrt, berühmt, göttlich. Der erste Act, um den Eintritt zu ermöglichen, ist, daß der Aspirant jene Sonne nicht nur für den berühmtesten Mann des Städtchens hält, sondern ihn rückhaltslos den hervorragendsten Männern des Universums zuzählt. Dann erfolgt der zweite Act, daß er auch alle Mitglieder derselben (sc. Gesellschaft) für sehr bedeutende und gelehrte Männer zu halten verpflichtet ist. Endlich muß er denn auch von der innerlichen Überzeugung ganz durchdrungen sein, daß er selbst zu den bedeutendsten Männern des Erdballs gehöre. Wenn er diese drei Proben glücklich bestanden hat, und über seine Denkungsart kein Zweifel mehr obwalten kann, dann wird er in der Gesellschaft willkommen geheißen, und dann ist sein Ruf an der Hochschule gegen alle Fährlichkeiten gesichert.

Dr. Joh. Flach (1886), S.116 f.

MATHEMATIK

Mit zwanzig hätte ich gern Mathematik studiert und Sternkunde.
In den Zahlen waschen wir das Unreine
Aus Geschehen und Körpern. Selbst das Zufällige, das
Uns so quält in den Kämpfen, erscheint
In den Wahrscheinlichkeitskalkulationen
Der Mathematik gebändigt. Die großen
Bewegungen der Gestirne gestatten
Gute Voraussagen. Auch da
Sind die Kugeln im Weltraum nicht völlig rund, die Kurven
Nicht ganz stetig, aber beobachtet über Sternjahre
Und Weltraumentfernungen befriedigen sie

Den ordnenden Geist.
Auch hättest du, Mathematik studierend und Sternkunde anstatt
Politik und Wirtschaft, weniger Betrug getroffen.
Die Sternbahnen
Werden nicht so verheimlicht als die Wege der Kartelle. Der Mond
Klagt nicht auf Geschäftsschädigung.

B. Brecht, Gespräch über den Alltagskampf, a. a. O., S. 966 f.

MENGENLEHRE

Merken Sie sich den Unterschied zwischen Insekten und Kerbtieren: die ersteren bilden eine größere Klasse, in welche die zweiten nicht hineingehören.

Unfreiwilliger Humor, Gesammelt von Ernst Heimeran, München 1935

Der hat die Macht, der an die Menge glaubt.

Ernst Benj. Sal. Raupach (zit. Büchmann, Geflügelte Worte, 33. Aufl., Berlin 1981, S.150)

ORGASMUS

Das „„Donnern" in Hegels „Tagebuch der Reise in die Berner Oberalpen 1796", s. unter JUNGFRAU. Auch ibid.: „Nur dann schwindelt man beim Anblick einer Höhe . . ." und: „Mühsamer als das Hinaufsteigen war noch das Hinuntersteigen."

PATAPHYSIK

Eigentlich 'pataphysique mit vorgestelltem Apostroph, um einer Verwechslung mit „patte à physique" vorzubeugen; Unterschied auch zur Pantaphysik und Metaphysik.

Definition: La pataphysique est la science des solutions imaginaires, qui accorde symboliquement aux linéaments les propriétés des objects décrits par leur virtualité .

Alfred Jarry, Gestes et opinions du Docteur Faustroll, pataphysicien.
Œuvres complètes I, Paris, 1972
(zit. in Livre II, viii und lezter Satz des Werkes)

PETIMATEREI

vom Franz. petit maitre = Stutzer, insbes. Leipziger zur Goethezeit.

Von unserm Goethe zu reden! - Wenn Du ihn nur sähest, Du würdest entweder vor Zorn rasend werden, oder vor Lachen bersten müssen . . . Er ist bei seinem Stolze auch ein Stutzer, und alle seine Kleider, so schön sie auch sind, von so einem närrischen Gout, der ihn auf der ganzen Akademie auszeichnet . . . Sein ganzes Dichten und Trachten ist nur seiner (!) gnädigen Fräulein und sich selbst zu gefallen . . . Er hat sich (blos weil es die Fräulein gern sieht) solche porte-mains und Gebehrden angewöhnt, bei welchen man unmöglich sich das Lachen verbeißen kann. Einen Gang hat er angenommen, der ganz unerträglich ist. Wenn Du ihn nur sähest!

Zit. nach Nt. Bauer, Sittengeschichte, S. 203

PHILOSOPH

(Der) Symphonie No. 22 in Es-Dur, Joseph Haydn (1764)

PHILOSOPHIE

(moderne) nach Prof. Dr. habil. Holger van den Boom: eine Art Händereiben, als sei eine senkrecht hängende Stange Knetmasse in der Luft dünnzudrehen

(Aus ges. pers. Mitteilungen)

PLAGIAT

Ich würde so arm, so kalt, so kurzsichtig sein, wenn ich nicht einigermaßen gelernt hätte, fremde Schätze bescheiden zu borgen, an fremdem Feuer mich zu wärmen, und durch die Gläser der Kunst mein Auge zu stärken.

Lessing, Hamburger Dramaturgie Nr. 101,102,103 u.104

Rehder, Der Deutsche Professor

Obiges Zitat nennt der königlich-preußische Professor Dr. med. et phil. Paul Albrecht Lessings Eingeständnis von FREMDHIRNIGKEIT.

(Selbstverlag,1890-1891, sechs (6!) Bände, Lessings Plagiate)
Näheres bei Brecht, Gegen Diebstahl geistigen Eigentums
s. u. a. Kurt Tucholsky

POESIE

„Eine Tabackspfeife in's Gesicht oder in die Physiognomie stecken." Ist dies nicht Poesie? Das ganz Individuelle, worauf die Pfeife geht, und worin sie erscheint, wird hier ganz objectiv als nichts Subjectives gesetzt, das noch etwas hinter sich hatte, wie eine Zeichnung auf einer Wand, - und eben so die Hand, die Pfeife damit zu verbinden. Ich habe jenen Ausdruck von ganz prosaischen Kaufleuten gehört.

Hegel, Aphorismus aus der Jenenser Periode
zit. in Rosenkranz, S. 538

Die Poesie, die Poesie
Sie schimpfet nie, sie grollet nie
Sie legt sich in das grüne Moos
Beklagend ihr poetisch Los!

Kempneriana, in „Unfreiwilliger Humor",
gesammelt von E. Heimeran, München 1935, S. 41

Erdmann Uhses Definition von Poesie:
Was ist die deutsche Poesie? Die deutsche Poesie ist eine Geschicklichkeit, seine Gedanken über eine gewisse Sache zierlich, doch dabei klug und deutlich in abgemessenen Worten und Reimen vorzubringen.

Aus Clemens Brentanos Schilderung eines Musterphilisters (1811)

Schlegel weiß: Die Grundquellen der Poesie sind *Zorn* und *Wollust* und zwar die einzigen. Scherz und Ironie müssen von jenen durchdrungen sein, um wahre Poesie zu werden. Jene sind die Elemente des Lebens. *Bildung* rein zur Kunst und diesem entgegengesetzt - herrscht im zweiten Grade der Poesie. „ /Zorn und Wollust / die Pole, Witz die *Indifferenz.*“

[817], S. 322 der Fragm. z. Poesie u. Lit.,
16. Bd. d. Krit. F.-Schlegel-Ausgabe,1981

POLEMIK

Die Gelehrten haben einen ganz eigenen Hintern, den man den moralischen zu nennen pflegt, und der nicht in der Mitte des Systems liegt. Wie man sich den einander weist, wirst Du auf Universitäten lernen, wo man reichlich Gelegenheit findet, sich zu unterrichten; die Wissenschaft heißt die Polemik.

Lichtenberg, Brief an sein Patenkind Bernhard Hollenberg,
zit. in Herbert Schöffler, Lichtenberg, S. 71,
original abgedr. in Lichtenbergs Briefe, 2. Bd. 547,
Hrsg. A. Leitzmann und Carl Schuddekopf,
Leipzig 1902, S. 353 f.

REDE

(kurze, für alle Gelegenheiten, lateinisch) Bei Tafel verlangte der Kurfürst einmal, daß Taubmann die hauptsächlichsten Teile einer Rede in einem einzigen Verse andeute. Aufstehend, sprach dieser:

Saepius assurgo, brevis est mea fistula: dixi.
(Öfter erhebe ich mich, meine Rede ist kurz: fertig).

Friedrich W. Ebeling, Zur Geschichte der Hofnarren,
Leipzig 1884, S.182

REZENSENT

Meine Herren, ich denke jetzt mit diesem rätselhaften Kadaver im klaren zu sein, und ich hoffe, daß ich mich nicht irre. Bemerken Sie diese zurückgestülpte Nase, diese breiten, großmäuligen Lippen - bemerken Sie, sage ich, diesen unnachahmlichen Zug von göttlicher Grobheit, welcher über das ganze Antlitz ausgegossen ist, und Sie werden nicht zweifeln, daß Sie einen unsrer jetzigen Rezensenten, und zwar einen echten, vor sich liegen haben.

Erster Naturhistoriker beim Anblick des Teufels in Chr. D. Grabbe,
Scherz, Satire, Ironie und tiefere Bedeutung, I,3

REZENSENT (Forts.)

Da hatt' ich einen Kerl zu Gast ,
Er war mir eben nicht zur Last,
Ich hatt' just mein gewöhnlich Essen.
Hat sich der Mensch pumpsatt gefressen;
Zum Nachtisch, was ich gespeichert hatt'.
Und kaum ist mir der Kerl so satt,
Tut ihn der Teufel zum Nachbar führen,
Über mein Essen zu räsonieren:
Die Supp' hätt' können gewürzter sein,
Der Braten brauner, firmer der Wein.
Der Tausendsackerment!
Schlagt ihn tot, den Hund! Es ist ein Rezensent.

Goethe, Werke, Hamburger Ausgabe 1960, S. 62

RUF

Ruf ist ein Leben, das atmet der Mund des Schwätzenden; Ehre
Das in dem Herzen des Edleren schlägt.

F. G. Klopstock, Epigramm, Ausgewählte Werke, München 1962, S.194

SCHÜRZENSTIPENDIUM

auch: Schwanzdukaten; eine Unterstützung, welche den Studenten der Vergangenheit von einem verheirateten oder unverheirateten Frauenzimmer gereicht wurde

S. Kindleben, Studenten-Lexicon (1781), S. 193

SELBSTBEWUSSTSEIN

Ein geflickter Strumpf besser als ein zerrissener; nicht so das Selbstbewußtsein.

Hegel, Aphorismus aus der Jenenser Periode. zit. in Rosenkranz, S. 552

SELBSTBEZUG

(engl. self-reference) Selbstbezug, quod vide. Für ein frühes (1797) literarisches Beispiel s. die Disputation zwischen dem Hofgelehrten Leander und dem Hofnarren über den „Gestiefelten Kater“ in Ludwig Tiecks „Der gestiefelte Kater“, 3. Akt

SPRACHGRIEBEN

Deutsche Sprachreste in dem ausgelassenen Schweineschmalz philosophischer Faseleien

Aus Ulrich Huhls Schlaglichterlexikon gegen die Philosophen,
teilweise abgedruckt in Stefan Andres,
Die Liebesschaukel, München 1951, S.145

STELLUNG

auch: Position; berufl. z. B. C-l, C-2, C-3, C-4; allgem. im Leben z. B. C-1, C-2, C-3, C-4; spez. i. d. Liebe s. Ovid „Ars amatoria“ III, 771 ff.

Zur besseren Besichtigung und mittelbaren Reflexion möglicher Stellungen gibt Sueton (nach dem Scholiasten Porphyrion) ein von Horaz benutztes Mittel an:

Ad res venereas intemperantior traditur; nam specula toto cubiculo scortator dicitur habuisse disposita, ut quocumque respexisset ibi ei imago coitus referretur.

(Übrigens soll Horaz von ziemlich zügelloser Sinnlichkeit gewesen sein. So erzählt man sich, er habe als erfahrener Erotiker in seinem Schlafzimmer überall Spiegel aufgestellt, so daß ihm von allen Seiten die Reflexion des Koitus ins Auge fiel.)

Diese Technik (sowie Syntax und Wortwahl) lehnt Lessing in seinen „Rettungen des Horaz“ als unrömisch ab. Dagegen spricht auch, daß Horaz klein und dick war: habitu corporis fuit brevis atque obesus.

STUDENT

auch: Musensohn, vom Lat. studere, sich auf etwas verlegen, ist nach Taubmanns, weiland Professor zu Wittenberg, Definition: ens rationale bipes, quod non vult cogi, sed persuaderi, ein vernünftiges, zweyfüßiges Thier, welches nicht gezwungen, sondern zugeredet seyn will. Was ist ein Student? sagt Gottsched (Gott hab ihn selig) da er einst Rektor war, zu einem Studenten, den sein Philister verklagt hatte, ein Student ist nichts. Ihro Magnificenz, antwortete dieser, ich habe gehört: aus Nichts wird nichts.

Kindleben, Studenten-Lexicon (1781)

STUDIEREN

Studiren heißt, das als wahr anzusehen zu bekommen, was Andere gedacht haben. Aber zuerst als mit einem Falschen gleich fertig sein, kennt man die Dinge nicht.

Hegel, Aphorismus aus der Jenenser Zeit, zit. in Rosenkranz, S. 552

TARANNE-SYNDROM

Identitätsverlust bei Hochschullehrern; äußert sich in Exhibitionismus am Strand vor Studenten, auch in Plagiaten. Verwandt dem Offenbarungseid und dem Kaiser ohne Kleider

Näheres bei Arthur Adamov, Le Professeur Taranne, Paris 1953

UNIVERSITÄTSWANZEN

Welche die Personalien aller deutschen Hochschulen im Kopf haben und für die Verbreitung aller persönlichen Angelegenheiten sorgen.

Dr. Joh. Flach (1886), S. 245

UNTERSCHIED

Und der Unterschied zwischen dem Pöbel und dem Gelehrten besteht oft bloß in einer Art von Apperzeption oder in der Kunst, zu Buch zu bringen.

Lichtenberg, Materialheft II [51]

VADEMECUM

für bayrische Hochschullehrer:

Schuster, bleib' bei deinen Leisten!
Ein Professor weiß am meisten,
Wenn er weiß, daß er nichts weiß.
Hat er nur den wahren Glauben,
Darf er vieles sich erlauben,
Auch sogar, wenn er ein Preiß'.

Nur das gottverfluchte Denken
Soll sich der Gelehrte schenken,
Weil es ihm zu gar nichts nützt.
Denn das Denken führt zum Zweifel,
Und der Zweifel führt zum Teufel,
Den der Staatsanwalt beschützt.

Denn der Teufel, dieser Stänker,
Der dem Staatsanwalt und Henker
Erst die Kunden auserwählt,
Gilt als Einrichtung der Kirchen,
Wie ein anonym Geschirrchen,
Das in keinem Haushalt fehlt.

Drum, willst du Professor werden,
Denke: Schwarz ist Trumpf auf Erden;
Einst war einst und jetzt ist jetzt.
Dreh' dich wie der Film im Kino!
Im katholischen Kasino
Wird die Professur besetzt.

Edgar Steiger, Simplicissimus,18. Jahrg., Nr. 5,
vom 7. Juli 1913, Seite 251

VERNUNFT

nach Luther: Teufelshure; s. aber auch I. Kant, Kritik der reinen V.

WELTGESCHICHTE

Die Russischen Frauen beklagen sich, wenn sie von ihren Männern nicht geprügelt werden; sie haben sie nicht lieb. Das ist die Weltgeschichte.

Hegel, Aphorismus aus der Berliner Periode zit. in Rosenkranz, S. 555

WESEN

(der deutschen Universität) Wollen wir das Wesen der deutschen Universität, oder wollen wir es nicht.

M. Heidegger, Die Selbstbehauptung der deutschen Universität, Rektoratsrede vom 27. Mai 1933, Universität Freiburg, Verlag Wilh. Gottl. Korn, Breslau 1933, S. 21

WISSENSCHAFT

Man studirt heute nicht mehr eine Wissenschaft, sondern man studirt das Examen.

Dr. Joh. Flach (1886), S. 48

WISSENSCHAFTLICHER MENSCH

Sehen wir genauer zu: was ist der wissenschaftliche Mensch? Zunächst eine unvornehme Art Mensch, mit den Tugenden einer unvornehmen, das heißt nicht herrschenden, nicht autoritativen und auch nicht selbstgenügsamen Art Mensch: er hat Arbeitsamkeit, geduldige Einordnung in Reih und Glied, Gleichmäßigkeit und Maß im Können und Bedürfen, er hat den Instinkt für seinesgleichen und für das, was seinesgleichen nötig hat, zum Beispiel jenes Stück Unabhängigkeit und grüner Weide, ohne welches es keine Ruhe der Arbeit gibt, jenen Anspruch auf Ehre und Anerkennung (die zuerst und zuoberst Erkennung, Erkennbarkeit voraussetzt -), jenen Sonnenschein des guten Namens, jene beständige Besiegelung seines Wertes und seiner Nützlichkeit, mit der das innerliche Mißtrauen, der Grund im Herzen aller abhängigen Menschen und Herdentiere, immer wieder überwunden werden muß. Der Gelehrte hat, wie billig, auch die Krankheiten und Unarten einer unvornehmen Art: er ist reich am kleinen Neide und hat ein Luchsauge für das Niedrige solcher Naturen, zu deren Höhen er nicht hinauf kann. Er ist zutraulich, doch nur wie einer, der sich gehen, aber nicht strömen läßt; und gerade vor dem Menschen des großen Stroms steht er um so kälter und verschlossener da, - sein Auge ist dann wie ein glatter widerwilliger See, in dem sich kein Entzücken, kein Mitgefühl mehr kräuselt. Das Schlimmste und Gefährlichste, dessen ein Gelehrter fähig ist, kommt vom Instinkte der Mittelmäßigkeit seiner Art: von jenem Jesuitismus der Mittelmäßigkeit, welcher an der Vernichtung des ungewöhnlichen Menschen instinktiv arbeitet und jeden gespannten Bogen zu brechen oder - noch lieber abzuspannen sucht. Abspannen nämlich, mit Rücksicht, mit schonender Hand natürlich -, mit zutraulichem Mitleiden abspannen; das ist die eigentliche Kunst des Jesuitismus, der es immer verstanden hat, sich als Religion des Mitleidens einzuführen.

F. Nietzsche, Jenseits von Gut und Böse
Sechstes Hauptstück, Wir Gelehrten, Nr. 206

WISSENSDIENST

Die drei Bindungen - durch das Volk an das Geschick des Staates im geistigen Auftrag - sind dem deutschen Wesen gleichursprünglich. Die drei von da entspringenden Dienste - Arbeitsdienst, Wehrdienst und Wissensdienst - sind gleich notwendig und gleichen Ranges.

M. Heidegger, Die Selbstbehauptung der deutschen Universität,
Rektoratsrede vom 27. Mai 1933,
Universität Freiburg Breslau 1933, S.17

WÜRMER

und ihr Beitrag zur Gelehrsamkeit werden in Christian Dietrich Grabbes, „Scherz, Satire, Ironie und tiefere Bedeutung“ , I,l, gestreift:

Tobies: Sehen Sie, unser Gottliebchen hat die Würmer, und deshalb meint seine Mutter, daß aus ihm noch einmal ein Gelehrter würde. - Nicht wahr, Gottliebchen, du willst ein Gelehrter werden? Gottliebchen: Ja, ich habe die Würmer.

ZERSTREUTHEIT

Du mußt bisweilen eine genialische Zerstreutheit zeigen. Dies machst du ohngefähr so, Gottliebchen: du steckst, ehe du aus dem Hause gehst, eine tote Katze in die Uhrtasche; wenn du dann nachher in Gesellschaft eines schönen Fräuleins spazierst und mit ihr in der Abenddämmerung die Sterne betrachtest, so ziehst du auf einmal deine tote Katze heraus und führst sie an die Nase, als wenn du dich hineinschnupfen wolltest; da wird denn das Fräulein leichenblaß aufschreien: „Sackerlot, eine tote Katze!“ Du aber erwiderst wie zerstreut: „Ach Gott, ich meinte, es wäre ein Gestirn!“

Christian Dietrich Grabbe,
Scherz, Satire, Ironie und tiefere Bedeutung,
I,l (Schulmeister zu Gottliebchen)

ZWEIFEL

Um an etwas zu zweifeln, ist freilich oft bloß nötig, daß man es nicht versteht. Diesen Satz wollten einige Herren gar zu gern umkehren, indem sie behaupten, man verstehe ihren Satz nicht, wenn man ihn bezweifelt.

Lichtenberg, Sudelbücher II, Heft K [238]